Viateur Lefrançois

Pays de légendes

Illustrations

Jocelyne Bouchard

Collection
PREMIÈRES NATIONS
Éditions du Phœnix

Dépôt légal, 2016
Imprimé au Canada

Graphisme de la couverture : Hélène Meunier
Graphisme de l'intérieur : Hélène Meunier
Révision linguistique : Hélène Bard

Éditions du Phœnix

206, rue Laurier
L'Île-Bizard (Montréal)
(Québec) Canada H9C 2W9
Tél.: 514 696-7381 Téléc.: 514 696-7685
www.editionsduphœnix.com

Catalogage avant publication de Bibliothèque et Archives nationales du Québec et Bibliothèque et Archives Canada

Lefrançois, Viateur

Pays de légendes

(Collection Premières nations)
Pour les jeunes de 9 à 12 ans.

ISBN 978-2-924253-67-0

I. Bouchard, Jocelyne. II. Titre. III. Collection : Collection Premières nations.

PS8573.E441P39 2016 jC843'.54 C2016-940612-1
PS9573.E441P39 2016

Nous remercions la SODEC de l'aide accordée à notre programme de publication. Nous reconnaissons l'aide financière du gouvernement du Canada par l'entremise du Fonds du livre du Canada pour nos activités d'édition à notre programme de publication.

Nous sollicitons également le Conseil des Arts du Canada. Éditions du Phœnix bénéficie également du Programme de crédit d'impôts pour l'édition de livres – Gestion SODEC – du gouvernement du Québec.

Viateur Lefrançois

Pays de légendes

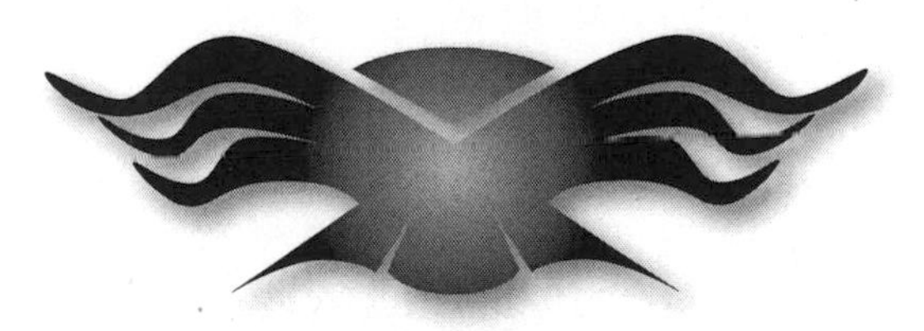

Éditions du Phœnix

Du même auteur aux éditions du Phœnix :

Sous les canons de Wolfe : Escouade 17-59, 2014.

Louis Riel, le résistant, 2012.

Au temps des patriotes 2 : Les chemins de l'exil, 2011.

Au temps des patriotes : Les chemins de la liberté, 2010.

Poursuite dans les Alpes, coll. ados, 2013.

Aventuriers des mers, coll. ados, 2009.

Chevaux des dunes, le trésor de l'Acadien,
coll. Oeil-de-chat, 2009.

Otages au pays du Quetzal sacré, coll. Oeil-de-chat, 2005.

Tchou-Tchou le train de l'amitié, coll. Maîtres-rêveurs 2015.

Un fabuleux voyage à Dragons-village,
coll. Maîtres-rêveurs, 2007.

« Quand ils auront coupé le dernier arbre,
pollué le dernier ruisseau,
pêché le dernier poisson,
alors ils s'apercevront
que l'argent ne se mange pas. »

Chef amérindien Sitting Bull

À mes petits-enfants,
et aux lecteurs en général,
qui me demandent de continuer
à les faire rêver.

V.L.

Le loup-sorcier

de

Viateur Lefrançois

1

L'homme ou le loup

Après des milliers d'années de glaciation et de froid intense, le climat est devenu plus clément. Depuis la nuit des temps, les animaux profitent du retour des températures plus douces pour remonter vers le nord et coloniser les vastes territoires de l'Amérique nordique. Des ours, des cerfs, des caribous, des loups, des renards, des coyotes, des lynx, des lapins et d'autres espèces côtoient les bandes d'humains disséminées aux quatre coins d'un continent encore inconnu du reste du monde.

Comme les oiseaux, les tribus se déplacent au gré des saisons. Les hommes suivent les routes de migration des animaux pour les chasser, ce qui leur permet de se nourrir et de se vêtir. Ils recouvrent leurs tentes de peaux afin de se protéger du froid et de la pluie.

En raison des hivers rigoureux, les meutes de loups, pour survivre, traquent patiemment leurs proies. Au printemps, si la période d'enneigement se prolonge et que la nourriture manque, les carnassiers s'en prennent parfois aux Amérindiens solitaires.

Au nord du long fleuve, Prince-des-Bois et sa bande défendent âprement leur territoire contre l'invasion des autres carnassiers. Les hordes rivales se livrent des batailles féroces, et les hommes osent rarement s'aventurer sur leurs terres.

Un jour, pourtant, la tribu des Nomades traverse les grandes eaux et s'installe sur la rive d'un lac poissonneux. Prince-des-Bois surveille ces nouveaux venus de près durant tout l'été. Sa compagne de toujours, Belle-Louve, est à ses côtés.

— Si j'attends trop avant de réagir, les humains nous envahiront et détruiront notre territoire. J'ai réussi à me faire respecter par les animaux des alentours, et voilà que nous devons affronter ces prédateurs.

— Ces gens semblent très habiles, déclare Belle-Louve.

— C'est pourquoi j'hésite à les attaquer. Ils lancent des flèches avec précision. Je veux éviter de mettre notre vie en danger.

Après plusieurs mois à observer les humains, le chef de la meute conclut toutefois qu'il sera impossible pour les loups de cohabiter avec les hommes ; il les classe alors parmi ses ennemis. Malgré la crainte qu'ils lui inspirent, Prince-des-Bois décide de chasser les hommes des terres sur lesquelles ils ont élu domicile.

— Je t'appuierai jusqu'au bout, confirme Belle-Louve. Mais reste prudent, car j'ai besoin de toi.

Les Amérindiens épient eux aussi les allées et venues de Prince-des-Bois et s'inquiètent de sa présence. Grand-Chef s'adresse avec fermeté au sorcier :

— Tu dois trouver un moyen de nous débarrasser de ces animaux. Sinon, ils vont s'en prendre à nos enfants.

— Laissez-moi y réfléchir, répond Bon-Sorcier.

— Pour le moment, ajoute le chef, ils rôdent autour des camps et mangent les carcasses de cerfs que nous leur laissons en pâture dans la forêt. Comme l'hiver approche, je suggère de partir pour le sud le plus vite possible.

Le lendemain, pressés d'en finir, Prince-des-Bois et sa meute donnent l'assaut à l'aube.

Supérieurs en nombre, armés de couteaux en os d'animaux, de hachettes en pierre effilée, de lances, d'arcs et de flèches, les hommes bataillent ferme. Les guerriers, habitués à se battre pour survivre, repoussent les carnassiers. Pendant l'affrontement, Prince-des-Bois doit intervenir pour sauver Belle-Louve d'un coup de tomahawk. Il saute sur le dos de l'assaillant qui la menaçait, puis le terrasse en lui brisant les os de la nuque de sa puissante mâchoire. La riposte permet à sa bien-aimée de se mettre à l'abri dans la forêt d'épinettes noires.

2

Le loup curieux

Comme prévu, les vainqueurs migrent vers le sud quelques jours plus tard. Prince-des-Bois pense les avoir chassés pour toujours, mais ils reviennent sur son territoire à la fonte des neiges et en deviennent rois et maîtres.

Les bêtes obéissent à la loi du plus fort et restent en périphérie du camp des hommes. Malheureux en raison de la tournure des événements, déçu et rempli d'amertume, Prince-des-Bois se retire dans la forêt. Même si la guerre semble perdue à tout jamais, un sentiment de vengeance persiste dans son cœur. Belle-Louve tente malgré tout de convaincre son amoureux de lâcher prise.

Après plusieurs lunes de stabilité et de calme, le couple de carnassiers fonde une famille. La femelle accouche de trois jolis louveteaux. Occupé à trouver de la nourriture pour ses petits, à régler les conflits internes dans son propre clan et à éviter les humains, Prince-des-Bois met sa rancœur de côté. Il ne pourra toutefois jamais effacer l'humiliation de la défaite de sa mémoire.

Le loup se rend parfois près du camp des hommes dans le but de mieux connaître la façon de vivre de ses ennemis. Le soir venu, il s'approche d'eux afin d'observer leurs comportements. Souvent, surtout quand la chasse s'avère excellente, les guerriers dansent autour du feu pour remercier Manitou de leur accorder tant de bienfaits.

Les Nomades apprécient leur existence, pense Prince-des-Bois. Peu à peu, il commence à envier les hommes et à admirer leur mode de vie. Le loup est fasciné par ces gens : ils chassent le gibier et pêchent le poisson pour survivre, ramassent du bois mort pour chauffer leurs tipis et vivent en harmonie avec la nature.

Nous, nous souffrons du froid et de la faim ; en plus, la privation rend les membres de la meute agressifs et méfiants. Les loups se battent sans arrêt pour protéger leur famille. Même s'il sait que c'est impossible, Prince-des-Bois rêve de se transformer en humain afin de subsister de façon décente. Il pourrait ainsi devenir, croit-il, le maître de ce paradis.

Même si l'idée persiste dans sa tête, le chef de clan demeure réaliste et retourne toujours auprès de Belle-Louve et de ses petits. Le père de famille éprouve une grande culpabilité pour vouloir quitter les siens afin de satisfaire un désir égoïste. Sa compagne ressent son malaise, mais en déduit que la défaite a simplement laissé des traces dans son esprit.

3

Bon-Sorcier

Un matin de printemps, à l'aube, alors qu'il surveille une perdrix près d'un terrain maréca-geux, Prince-des-Bois aperçoit un homme bizarre portant un chapeau orné de longues plumes mul-ticolores. Ce dernier tient dans sa main un bâton insolite et sculpté. La canne, qui paraît légère, ressemble à un serpent à sonnettes dont la tête touche le sol. Nullement effrayé, l'inconnu s'adresse au loup d'un ton très amical.

— Jusqu'à hier, j'étais le puissant sorcier de la tribu des Nomades, révèle l'étonnant per-sonnage. Aujourd'hui, je suis mort.

Curieux de nature, Prince-des-Bois écoute les paroles de l'étranger. De profondes rides sillonnent son visage ravagé par le temps. Tous les deux s'observent un long moment.

— Je te reconnais, Bon-Sorcier. Je t'ai vu danser autour du feu de joie.

— Quel plaisir de te rencontrer en poil et en os ! Manitou m'a prié de te retrouver afin que tu puisses réaliser ton plus grand rêve. Tu rôdes si souvent autour du village.

— Pour quelle raison n'as-tu jamais parlé de ma présence à ton peuple ?

— Je devais t'aider à accomplir ta destinée, déclare le sorcier à la baguette de serpent. Tu m'as appelé, j'accéderai donc à ta demande.

— Tu m'intrigues, répond Prince-des-Bois. Qu'attends-tu vraiment de moi ?

— Révèle-moi ton plus grand désir.

— Je veux protéger les miens et trouver assez de nourriture pour passer l'hiver, répond le chef des loups. J'aime Belle-Louve.

— Mensonges ! s'exclame Bon-Sorcier. Tu veux surtout t'introduire dans un corps d'homme pour faire l'expérience de la vie des humains.

— Un rêve impossible, une vaine chimère...

— Je souhaitais simplement l'entendre de ta bouche. Et si je te donnais le moyen de réaliser ton rêve ?

Prince-des-Bois observe un silence prudent après avoir entendu les paroles insensées du sorcier. Ses pensées s'envolent sur-le-champ vers Belle-Louve et ses trois louveteaux. De son côté, l'inconnu sort un petit sac en cuir de sa poche, y fixe une corde et propose au loup de l'attacher à son cou.

— Le Grand Manitou m'a rendu visite cette nuit pour prendre mon esprit. Les membres de la tribu ignorent encore que je suis mort… Si tu acceptes de me remplacer auprès d'eux, tu réaliseras ton vœu, et le mien, par la même occasion. Tu m'aideras à sauver les Nomades du désastre. Je pars trop tôt pour le paradis de mes ancêtres ; je dois encore protéger mon peuple d'un grand danger.

— Pour quelle raison devrais-je secourir mon pire ennemi ?

— C'est ta destinée, Prince-des-Bois. Le génie du loup restera en toi et, le jour venu, tu retourneras auprès de ta famille. Toutefois, je veux te mettre en garde : comme le dit le proverbe, « l'herbe est toujours plus verte chez le voisin ». La façon dont on perçoit la réalité des autres nous empêche souvent de voir l'essentiel. Si tu acceptes cette mission unique, tu deviendras le seul animal à vivre une telle expérience.

Impulsif, Prince-des-Bois s'approche du sorcier ; le vieil homme sourit quand il attache le petit sac autour du cou de la bête.

— Qu'il en soit ainsi ! s'exclame Bon-Sorcier, dont la voix de stentor résonne en écho dans la montagne. La pochette renferme ma science et mes souvenirs, ajoute-t-il. Agis avec sagesse dans ta nouvelle vie. Le temps venu, tu connaîtras le chemin à suivre, et une récompense t'attendra.

D'un geste solennel, le chaman saisit sa baguette en forme de serpent à sonnettes et touche la tête du loup qui voulait devenir humain. Au même moment, la terre tremble sous les pattes du carnassier et un coup de tonnerre le fait sursauter. Puis, un éclair illumine son corps en entier. Le sorcier et la bête disparaissent, emportés par un nuage aux couleurs de l'arc-en-ciel.

4

Le nouveau sorcier

Prince-des-Bois se réveille à l'intérieur d'un tipi. Des chasseurs dorment autour de lui. Une faible fumée monte vers le ciel encore brumeux, lui révélant ainsi l'endroit où, la veille, les hommes ont allumé leur feu. Le cerveau engourdi, le loup constate que le rêve est devenu réalité. Il prend le sac de cuir avec précaution entre ses mains et, songeur, reste immobile un long moment. Le loup-sorcier voit défiler la vie de Bon-Sorcier dans sa tête, mais comprend mal comment une si petite bourse peut contenir tant de souvenirs.

Sa première pensée s'envole vers Belle-Louve. *Me pardonnera-t-elle mon escapade?* se demande le loup-humain en regardant son corps avec curiosité. Il appréhende déjà le pire pour sa famille.

Son instinct de carnassier refait surface lorsqu'il aperçoit la carcasse grillée d'un cerf sur le feu. Prince-des-Bois se jette aussitôt à plat ventre sur le sol et mord à pleines dents dans la viande cuite ; il se ressaisit rapidement, puis bondit sur ses jambes. Il trouve cela bizarre, marcher sur deux pattes. *À l'avenir, je devrai réfléchir comme un humain, et non pas comme un animal. Je m'appelle maintenant Bon-Sorcier.*

Ses compagnons se réveillent les uns après les autres. Tous le saluent avec respect, comme s'ils le connaissaient depuis toujours. Le loup s'est réellement transformé en sorcier. La baguette à la queue de serpent à sonnettes se trouve à ses côtés.

Les femmes servent la nourriture aux hommes avant leur départ pour la chasse. Pendant le premier repas, et toute la journée, Bon-Sorcier choisit d'observer les gens et d'écouter leurs propos avant de s'impliquer dans leur quotidien. Curieusement, il comprend la langue de la tribu. S'il doit répondre à une question ou donner un conseil, il empoigne le sac pour s'inspirer de la sagesse de Bon-Sorcier et agir en conséquence.

Pendant plusieurs lunes, la vie suit son cours, paisible et douce. Le sorcier mange à sa faim et tous lui vouent un grand respect en raison de sa fonction. Les bienfaits de sa nouvelle existence lui font presque oublier Belle-Louve et ses petits louveteaux. Les squaws le couvrent d'attention, le chef le consulte lorsque vient le temps de prendre des décisions importantes et les chasseurs lui demandent d'invoquer Manitou pour trouver assez de gibier pour nourrir leur famille. Son rôle lui convient très bien.

Avec de judicieux conseils ou de l'herbe magique, il guérit les corps et les esprits. Son aptitude à préserver les traditions ancestrales le sécurise, et réconforte les membres de la tribu. Parfois, Prince-des-Bois comprend difficilement ses pouvoirs, mais essaie d'agir avec sagesse. Capable de tout contrôler à la perfection, il se sent de plus en plus envahi par le génie du sorcier. Cette responsabilité lui va à merveille, comme la peau de daim qui le tient au chaud.

5

Les tomahawks s'agitent

Un jour, le chef du village, accompagné de cinq sages, vient consulter Prince-des-Bois. Leur visage grave tracasse le nouveau chaman ; il y voit un mauvais présage.

— La bande des Montagnards a déterré la hache de guerre, lui apprend le Grand-Chef.

— Pourquoi ? demande Bon-Sorcier.

— La famine sévit : le gibier se fait rare. Ces gens convoitent nos territoires de chasse et de pêche. Nous devons nous préparer et, surtout, protéger nos femmes et nos enfants.

L'instinct combatif de Prince-des-Bois refait surface, le poussant à l'action. Le loup compte sur cette force pour terrasser l'ennemi. Il propose aussitôt d'attaquer les premiers, au lieu d'attendre l'arrivée des assaillants.

— Profitons de l'effet de surprise pour frapper fort. Si nous gagnons, notre peuple vivra en paix pour longtemps.

— Les Montagnards se battent avec férocité, précise Grand-Chef. La prudence reste de mise.

Après quatre jours à fabriquer des flèches, des arcs et des tomahawks, les hommes valides, bien enveloppés dans leurs vêtements chauds, partent pour la guerre. Ils emportent la nourriture nécessaire à leur survie.

Pendant leur absence, les vieux sages et les femmes protégeront la communauté. Afin de leur donner du courage, le sorcier leur demande de préparer le feu de la victoire qui illuminera la nuit à plusieurs lieues à la ronde lorsqu'ils reviendront.

Le trajet de cinq heures, parcouru dans l'obscurité, dans les collines rocailleuses et la forêt dense, conduit les guerriers jusqu'au village montagneux encore endormi. Grand-Chef étudie le terrain avec attention, puis décide d'engager les hostilités au petit matin. Tous portent avec fierté des marques rouges et noires sur leur visage. Le sorcier exécute la danse du triomphe avant la bataille et exhorte Manitou à les aider à vaincre l'ennemi.

Confiants en leur bonne étoile, les attaquants donnent l'assaut. Surpris par l'offensive sournoise et habile, plusieurs Montagnards périssent sous les coups de leurs adversaires. Quelques centaines d'entre eux réussissent toutefois à s'échapper et à se terrer dans les bois. Les Nomades capturent alors une cinquantaine de femmes et d'enfants qu'ils comptent ramener dans leur village.

Avant de rentrer, les vainqueurs brûlent les tipis et détruisent tout sur leur passage. Sur le chemin du retour, le sorcier se dit préoccupé par la réaction des vaincus ; ils voudront se venger et combattront de toutes leurs forces pour libérer les prisonniers. Bon-Sorcier conseille donc au chef de poster des gardes sur les hauteurs, qui les informeront des mouvements de l'ennemi.

Les sentinelles passent trois jours sur le qui-vive à observer le comportement des animaux, à écouter les bruits inusités de la forêt et à surveiller la fumée noire provenant de la colline. Puis, deux espions surgissent au pas de course et annoncent au Grand-Chef :

— Ils arrivent ! Ils arrivent !

Prévenus de l'attaque, les femmes, les enfants et les aînés se glissent dans des trous creusés dans le sol, dissimulés par des branches de sapin et d'épinette. Pour leur part, tapis dans les bois, les guerriers attendent l'ennemi de pied ferme.

Sans se douter du traquenard, les Montagnards envahissent un village désert. Les Nomades patientent un moment, puis engagent la bataille. Pris à revers, les attaquants doivent fuir sans libérer les prisonniers. Les deux camps perdent cependant de valeureux combattants. Le lendemain, chacun panse ses plaies et enterre ses morts en élaborant des plans de vengeance.

6

La solution des sorciers

Quatre jours après la dernière bataille, une seconde attaque des Montagnards se solde de nouveau par un cuisant échec. Les belligérants comptent plusieurs blessés. Les choses vont de mal en pis pour tout le monde.

Les Montagnards veulent libérer leurs femmes et leurs enfants à tout prix avant de quitter le territoire. Ils décident donc d'installer leur campement à dix minutes du village de leurs ennemis. Pendant des semaines, les tribus rivales se harcèlent. Préoccupé, le sorcier marche de long en large dans son tipi.

Ces tueries sont inutiles, pense le chaman*; j'appréhende le pire pour mes compagnons si la bataille se poursuit.* L'homme commence à rêver de Belle-Louve et de sa vie auprès de sa famille. Une existence sans problèmes…

De crainte de tomber dans une embuscade, les guerriers des deux camps s'abstiennent pendant des semaines d'aller à la chasse et à la pêche. La famine fait vite des ravages dans les deux communautés. Les femmes, les enfants et les vieillards de la tribu de Prince-des-Bois en deviennent les premières victimes ; tous blâment le sorcier pour son incapacité à protéger son peuple.

Malheureux en raison de la tournure des événements, pensif et amer, le loup prend le petit sac en cuir entre ses mains. L'idée de l'arracher de son cou lui traverse l'esprit. Belle-Louve hante son cœur. Il imagine la solitude et le chagrin de sa merveilleuse compagne. *Je t'avais pourtant promis de rester à tes côtés toute ma vie.*

Près des siens, inconscient de sa chance, Prince-des-Bois vivait en liberté. Maintenant, l'homme-loup se sent seul au milieu des humains et, compte tenu des événements qui se succèdent, il a l'impression d'avoir les mains liées. Même s'il invoque Manitou pour régler le conflit, la mort, implacable, rôde autour des camps, attise la rancœur de tous et décourage ses compagnons. L'été le plus misérable de leur existence soulève le mécontentement de la tribu.

— Bon-Sorcier a perdu ses pouvoirs.

Manitou a fermé ses oreilles.

— Les sages doivent le remplacer.

Un matin de brouillard, le sorcier s'esquive discrètement pour aller réfléchir sur la colline. Peu enclin à retourner dans son tipi à cause des regards désapprobateurs des siens, l'homme-loup erre longtemps dans la forêt profonde.

La petite bourse en cuir pèse de plus en plus lourd à son cou. Le promeneur solitaire la touche d'une main tremblante. *Belle-Louve me pardonnera-t-elle cette escapade égoïste?* se demande encore le malheureux chaman. Comme ses compagnons, il souffre de la faim; sa vie dans la tanière commence à lui manquer.

Il n'est pas question d'abdiquer avant d'avoir résolu ce problème. Je dois trouver une solution. Sinon, j'aurais l'impression de fuir mon destin; toute mon existence, je me reprocherais ma lâcheté. Au cours de sa randonnée, il rencontre un autre sorcier désespéré, celui des Montagnards. Devinant leur désarroi mutuel, tous deux se dévisagent un long moment. Le nouvel arrivant se décide enfin à parler :

— Je suis le chaman Metshu. Invoquons Manitou ensemble pour le supplier de mettre fin aux souffrances de nos peuples respectifs.

Les deux hommes demandent alors au Tout-Puissant d'éclairer les chefs de guerre. Ils discutent, élaborent un plan et décrètent une trêve pour essayer de négocier la paix. Metshu reprend la parole :

— Nous devons maintenant persuader nos clans d'approuver notre décision. C'est ainsi que nous parviendrons à trouver des compromis.

Acculés au pied du mur par la famine, les sages acceptent d'engager des pourparlers. La rencontre se déroule au pied d'une chute tumultueuse, loin des regards indiscrets, sous la protection des chamans. Ceux-ci proposent d'unir leur force pour permettre à leurs peuples de survivre. Les discussions durent quatre jours avant d'aboutir à un accord fragile.

Puis, les sorciers invoquent les esprits voyageurs des chamans disparus afin qu'ils intercèdent auprès de Grand Manitou. Ils fument le calumet pour sceller l'entente. Emballés, les deux chefs expliquent le projet à leurs guerriers respectifs, lesquels acceptent la proposition. Un magnifique feu de joie, allumé par les femmes et les enfants amaigris, illumine aussitôt le ciel.

7

Retour auprès de Belle-Louve

Tous célèbrent la paix en dansant une partie de la nuit autour du brasier. Dans l'esprit de la majorité, la vie reste plus importante que l'égoïsme et la rancœur. À l'aube, tous acceptent l'entente conclue entre les deux peuples, et les prisonniers sont relâchés. Le lendemain, les hommes vont à la chasse et à la pêche ensemble pour apprendre à se connaître ; le village des Nomades redevient prospère.

Quelques jours plus tard, le loup-sorcier s'éclipse en douce pour se diriger vers la forêt. Le chaman arrache le petit sac en cuir de son cou avec le sentiment du devoir accompli ; il l'ouvre sans hésiter pour laisser s'échapper l'esprit de l'ancien sorcier. Prince-des-Bois a pris la décision de quitter le monde des humains pour retourner auprès des siens.

Un bien-être total l'envahit aussitôt. L'idée de revoir Belle-Louve après tant de mois le comble de joie. Prince-des-Bois tombe alors à genoux sur le sol durci. Ses jambes et ses bras se couvrent de poils; son hurlement résonne partout en écho dans les vallées. Tel un fantôme, arborant un franc sourire, le sorcier à la canne en forme de serpent à sonnettes se tient devant lui.

— Que m'arrive-t-il? murmure Prince-des-Bois d'une voix faible.

— Tu as simplement sauvé mon peuple de l'anéantissement.

— J'ai plutôt le sentiment d'avoir raté une partie de ma mission. La guerre et la famine ont ravagé le village; je me sens responsable de tant de malheurs.

— Tu as eu la sagesse de transformer ma nation et de la faire grandir. Un jour, une légende racontera qu'un loup-humain a préservé notre clan.

— J'ai toujours envié les hommes. Je sais à présent que ma vie antérieure me convenait à merveille. Je retourne enfin auprès de Belle-Louve.

À peine a-t-il terminé sa phrase que sa douce, suivie de ses trois louveteaux, apparaît à l'orée du bois. Prince-des-Bois comprend que le temps s'est arrêté pendant son absence. Les petits reconnaissent leur père et le rejoignent en remuant la queue. Sa récompense consistait donc à reprendre son existence là où il l'avait laissée.

— Vous aviez raison, lance Prince-des-Bois. L'herbe paraît toujours plus verte chez le voisin. Jamais plus je n'envierai la vie des autres.

— Sois bien à l'aise de m'appeler si tu as besoin de mes conseils, lui confie le sorcier.

Sur ces paroles généreuses, Belle-Louve accueille son loup par de joyeux hurlements. Ce soir-là, bien au chaud auprès de sa belle, la tête légère, Prince-des-Bois dort enfin dans sa tanière.

Au cours de son séjour chez les Nomades, il a appris une vérité importante : le vrai bonheur consiste à rester soi-même.

Un bison doré dans la lune

Inspiré par ces trois textes
d'Eugène Achard :

La mort du grand sorcier,
Pourquoi y a-t-il un bison dans la lune
et *Les deux sorciers de la tribu*

Cette histoire se déroule dans un très
lointain passé, il y a huit mille ans,
en Amérique du Nord. Venus d'Asie
avec leur culture millénaire, les peuples
nomades, avec le temps, se sont adaptés
à leur nouvel environnement.
Les souvenirs sont devenus des légendes,
qui ont été transmises selon les
circonstances, et en fonction des
croyances des chamans de l'époque.

1

Bon et méchant sorcier

Éclair-Brûlant et Plume-Légère, les jumeaux du sorcier Tornade-Bleue et de sa conjointe, Fleur-Orangée, entament leur dixième printemps. La famille vit dans l'oucst du continent, dans la tribu des Plaines, à cet endroit où le vent du chinook souffle et où les montagnes sont recouvertes d'une neige éternelle. Tous les jours, ils se promènent dans la forêt à la recherche de petits gibiers. Comme leurs parents leur ont enseigné la chasse et la pêche, tous deux se font maintenant un devoir de rapporter au moins un lièvre, une perdrix ou un saumon à la maison pour le repas du soir.

Depuis des mois, un sujet les préoccupe : l'odieux rival de leur père, le vieux sorcier Noirfaucon, menace leur papa de l'expédier dans l'astre sacré, où il irait rejoindre les chamans disparus de la terre de Manitou.

Fier, honnête et juste avec les gens de son peuple, le brave Tornade-Bleue essaie chaque fois de tempérer le caractère violent de son adversaire. Un jour, Plume-Légère confie son désarroi à son frère :

— Je crains que leur discorde ne choque Bison-Sacré. Maman dit qu'il entend tout. Il finira par se lasser de leurs divergences.

— Ils le savent, pourtant, ajoute Éclair-Brûlant ; il est interdit de se disputer pendant la pleine lune, sous peine de punition grave.

— L'astre brillera cette nuit, répond la fillette.

Après le repas du soir, oubliant les règles, les deux chamans en viennent encore une fois à échanger des paroles blessantes. Inquiets de la tournure des événements, plusieurs hommes s'éclipsent pour aller chasser dans la plaine. D'autres se dirigent en vitesse vers la rivière pour pêcher des poissons au harpon. Affolés, les enfants se réfugient dans le tipi, sous les peaux d'ours.

2

La lune et le soleil dans les mains

L'horizon s'obscurcit dès que les éclats de voix commencent à troubler le silence du crépuscule. Au bout d'un moment, tous se regardent d'un œil effrayé, tétanisés par la crainte de voir les nuages leur tomber sur la tête. « Bison-Sacré punira la tribu », répètent les vieux sages en se lamentant. « Peut-être viendra-t-il chercher le responsable de la mésentente. » Tornade-Bleue accuse Noirfaucon ; ses yeux foncés lancent des éclairs.

— Tu te conduis en mauvais sorcier. Ton méchant Manitou t'a transmis ses défauts, dont celui de tourmenter les tiens.

— Les gens vantent ton jugement, mais à mon avis, tu restes un prétentieux et un minable.

— Pour quelle raison conjurer les maléfices pour éloigner les bisons ? demande le jeune chaman. Chaque fois, les femmes te supplient et te promettent des cadeaux pour te persuader de ramener les troupeaux. Je dois intervenir et dépenser beaucoup d'énergie pour déjouer tes funestes sortilèges.

— Le peuple me tourne le dos, clame Noirfaucon. Il doit payer pour ses erreurs.

Tornade-Bleue prend une grande inspiration avant de répondre. Contrairement à Noirfaucon, qui possède une langue fourchue, le bon sorcier parle avec sagesse. L'homme sait conduire les chasseurs auprès des animaux et peut sentir les tempêtes.

— Je connais les mots pour éloigner les mauvais esprits et protéger les femmes et les enfants contre les loups qui rôdent autour des wigwams. Je peux aussi préparer les herbes pour guérir la plupart des maladies. Toi, tu en es incapable, puisque tu préfères la peur à la compassion.

Les aboiements des chiens et les hululements des chouettes interrompent leur conversation. Au même moment, les nuages disparaissent pour dévoiler une lune éblouissante, comme si le satellite de la Terre désirait écouter leurs propos.

— Bison-Sacré se montrera impitoyable avec toi, Noirfaucon. Je dois le consulter pour décider de ton sort. Un jour ou l'autre, il te rappellera dans l'astre des sorciers morts à cause de ta méchanceté.

Tornade-Bleue veut se retirer dans son tipi pour solliciter les conseils de Manitou, mais son adversaire lui lance un défi :

— Lequel de nous est le meilleur magicien ? Je peux jeter des maléfices, dit Noirfaucon pour se vanter. Comme empêcher la pluie de tomber, faisant ainsi jaunir l'herbe et fuir les animaux.

— Je préfère parler aux nuages pour leur demander d'arroser la prairie, réplique Tornade-Bleue. Tu te complais dans la science du mal ; moi, je la rejette pour aider les gens de ma tribu.

— Si tu te crois si fort, peux-tu aller me chercher la lune ?

Alors que Tornade-Bleue se contente d'abord de sourire, tous les témoins retiennent leur souffle. Il tend ensuite sa main gauche vers le ciel ; Noirfaucon voit avec stupeur le bras de son vis-à-vis qui s'étire et s'étire encore. Le gentil sorcier arrache ensuite une parcelle de l'astre et la rapporte sur terre.

Vert de jalousie, Noirfaucon se mord les lèvres.

— J'ai froid tout à coup. Retourne vite ce morceau là où tu l'as pris, car notre territoire ancestral deviendra un glacier.

Tornade-Bleue s'exécute, mais quand il ramène sa main, il tient cette fois une boule de feu entre ses doigts, dont émane une lumière qui irradie et réchauffe les alentours.

— Remets le soleil dans le ciel, lui ordonne Noirfaucon. Sinon, tous les wigwams s'enflammeront par ta faute. Je connais ce tour moi aussi, mais je crois inutile de le répéter. Cependant, sais-tu te transformer en animal ?

Le regard malicieux de son interlocuteur rend Tornade-Bleue méfiant ; il décide malgré tout de jouer l'innocent.

— Que complotes-tu encore ? J'ai déjà pris la forme d'une femelle orignal pour attirer les mâles. Les chasseurs ont ainsi pu nourrir leur famille pendant une semaine.

— Je préfère te voir en oiseau.

Sans répondre, Tornade-Bleue se transforme en gélinotte et s'empresse de se dissimuler sous les branches d'un énorme sapin.

Le méchant sorcier se métamorphose aussitôt en loup et se précipite sur l'oiseau. Rapide comme l'éclair, cette fois sous la forme d'un cormoran, le bon chaman se perche sur la cime d'un arbre.

— Je te connais assez pour me méfier de toi, lance le cormoran-sorcier.

— D'accord, murmure Noirfaucon. Restaurons la paix une fois pour toutes entre nous. Allons barboter ensemble dans la rivière et déguster de délicieuses truites.

Le jeune sorcier acquiesce et quitte sa branche pour survoler le cours d'eau. Rusé, l'autre se change en vautour afin de se débarrasser de son ennemi. Mais Tornade-Bleue réagit rapidement et se mélange à une volée de cormorans.

Le méchant magicien entre dans une colère noire et décide de frapper à l'aveugle pour déchiqueter un grand nombre de palmipèdes. Devant le danger, Tornade-Bleue se transforme en aigle et se dirige vers le sud pour se cacher dans les bois.

3

La vengeance de Noirfaucon

Jaloux des pouvoirs du bon chaman, ulcéré d'avoir manqué sa chance, Noirfaucon s'introduit dans le tipi de son rival au milieu de la nuit. Il s'empare d'Éclair-Brûlant, l'emmène dans la forêt et l'attache à un arbre.

— Ton père remuera ciel et terre pour te retrouver. La crainte de ne jamais te revoir le transformera en homme vulnérable. Je pourrai enfin me rendre maître de lui.

— Je ne connais rien à propos de vos divergences, proteste le jeune prisonnier, mais je sais que ton geste choquera Bison-Sacré ; tu subiras ses foudres.

Le kidnappeur s'esclaffe en entendant ces paroles.

— L'esprit de la lune s'aventure ici-bas pour ramener avec lui les chamans morts. Et, comme tu le constates, je vis, je ris, et même, je danse.

— Pour combien de temps encore? Tu regretteras ta conduite quand papa te mettra la main au collet.

— Rendre cet homme malheureux me procure une joie immense et, maintenant, il doit être inconsolable, affirme le sorcier. Je sèmerai tellement d'obstacles sur sa route, qu'il périra avant de m'atteindre.

L'angoisse et la rage s'emparent de Tornade-Bleue quand les guerriers des Plaines lui apprennent l'enlèvement de son fils. Cœur-Vaillant, le sage du village, irrité par la perfidie de Noirfaucon, vole à la rescousse de la famille. Il raconte à Tornade-Bleue que, selon une légende, la conscience du terrible chaman serait cachée dans un coquillage dissimulé dans un œuf d'hirondelle, qui se trouverait dans la caverne de Manitou. Le vieillard édenté termine en lui donnant une autre information importante :

— La vie de Noirfaucon appartiendra à celui qui mettra cette coquille en pièces.

Après avoir réfléchi la nuit durant, le malheureux père confie Fleur-Orangée et sa fille à ses fidèles guerriers. Puis, il prépare ses flèches, empoigne son arc et sa hachette, et dépose avec soin une pierre blanche dans son carquois, avant de s'éloigner dans son canoë.

Plume-Légère refuse d'attendre au village. Elle longe la rivière au pas de course et plonge dans l'eau fraîche. Déterminée à sauver son frère, elle rejoint l'embarcation de son père. Il n'a d'autre choix que de la prendre à bord et de continuer sa route. Aucun reproche ne sort de sa bouche ; ses yeux sévères expriment cependant une grande inquiétude. L'homme se demande quels pièges lui réserve Noirfaucon pour l'empêcher de libérer son fils.

4

La riposte de Tornade-Bleue

Le ciel se couvre de nuages noirs. L'averse se change en une pluie abondante, aussitôt balayée par des vents de plus en plus violents. La rivière, habituellement calme et claire, se transforme en un torrent déchaîné qui emporte tout sur son passage. La force du courant déracine des arbres, lesquels pourraient détruire la frêle embarcation. Tornade-Bleue prodigue des conseils à sa fille :

— Étends-toi au fond du canoë et supplie le Grand Esprit de nous venir en aide. Attention ! Nous entrons dans une zone de remous.

Plume-Légère se cramponne. L'embarcation se promène de tous côtés et menace de s'écraser sur un rocher ou de frapper une branche à chaque instant. Armée d'une confiance inébranlable envers son père, la fillette affronte le danger en silence. Le sorcier pagaie sans relâche et réussit à se faufiler dans une petite baie plus tranquille. Soudain, un bruit attire son attention :

— Voici la chute aux mille écueils. Mettons-nous à l'abri près des pierres, mais soyons prudents.

À peine a-t-il prononcé ces mots que la grêle frappe le sol et la surface de l'eau avec fracas. L'homme rame vigoureusement pour atteindre enfin la rive et emmener son enfant sous les arbres. Mais les grêlons traversent les feuilles.

— Vite, courons vers les cataractes !

Père et fille longent une falaise, puis s'introduisent derrière le mur d'eau protecteur.

Ils s'étendent sur un rocher plat pour se reposer un peu et reprendre leur souffle. Le sorcier réfléchit à haute voix :

— La malédiction de Noirfaucon nous poursuit. Nous devrons rester sur nos gardes si nous voulons déjouer ses plans.

— Papa ! Entends-tu ce bruit ? demande Plume-Légère.

En se retournant, les voyageurs voient des milliers de chauves-souris se diriger vers eux.

Main dans la main, ils traversent de nouveau la chute et sautent dans le lagon pour échapper aux petits animaux ailés.

Ils nagent un long moment sous l'eau avec l'espoir de trouver une caverne et ainsi se soustraire à la fureur de Noirfaucon. La jeune fille repère une ouverture dans le roc qu'elle indique à son père. Tous les deux s'y dirigent, mais un brochet vorace de trois mètres en bloque l'entrée. Ses dents pointues et acérées les font reculer. Au même instant, un énorme serpent sort de la grotte. Le sorcier décide de remonter à la surface, mais une autre mauvaise surprise les attend sur la rive.

Des grondements de loups font accélérer leurs battements cardiaques. Déjà, des dizaines de bêtes s'avancent vers eux pour les dévorer.

— Qu'allons-nous devenir, papa ?

— Aie confiance, ma fille ! À partir de maintenant, je me servirai de mes pouvoirs pour te protéger. Noirfaucon a fait assez de dégâts.

Tornade-Bleue lève les bras vers le ciel rempli de nuages ; le sorcier se transforme lui-même en loup, certain de faire reculer les attaquants. Les bêtes reviennent cependant à la charge. L'homme devenu animal se campe alors sur ses pattes de derrière et lance un hurlement qui résonne dans la vallée.

Puis, il grossit… grossit… et grossit encore, pour se métamorphoser en carnassier géant. Il ouvre la gueule et émet un second grondement qui effraie la meute. La terre en tremble tandis que l'eau du lagon s'agite. Plume-Légère se cramponne à une pierre, car le souffle du vent menace de l'emporter. Soudain, un bruit étrange attire son attention.

Le ciel s'assombrit, puis des tourbillons se forment et se dirigent vers la chute. Le père redevient humain.

— Des tornades, papa !

— Va te cacher entre les rochers, ma belle, et tiens bon. Observe ma puissance.

L'homme grandit… grandit… et grandit encore jusqu'à ce qu'il atteigne les nuages. Transformé en géant, il saisit les trombes les unes après les autres avec ses larges mains et les lance au loin. De son souffle vigoureux, il chasse la couverture nuageuse et l'expédie vers les montagnes, si bien que le soleil brille de nouveau au milieu d'un magnifique ciel bleu.

Le magicien sourit et reprend sa taille normale. Il rejoint son enfant en vitesse pour la serrer dans ses bras.

— Il semble que nous ayons déjoué les sortilèges de Noirfaucon. Nous pourrons enfin continuer notre chemin.

5

Le lapin, le harfang des neiges et le saumon

Les voyageurs naviguent trois jours avant d'atteindre l'île de Manitou, où se situe la caverne. Le père et la fille délaissent leur embarcation pour marcher un long moment dans le marais. Le paysage leur apparaît féérique avec ses arbres aux feuilles multicolores. Les ruisseaux coulent doucement et reflètent les couleurs de l'arc-en-ciel. Malgré sa tristesse, Plume-Légère reste sensible à la beauté des lieux.

— On dirait un endroit magique.

— C'est sans aucun doute le pays de Manitou.

Privés de nourriture depuis la veille, ils espèrent trouver un lapin ou des fruits sauvages à se mettre sous la dent. Ils aperçoivent alors un louveteau devant eux. Mais avant que Tornade-Bleue ne puisse le tuer d'une flèche, la mère louve surgit.

— Je sais ce que tu veux, sorcier. Si tu épargnes mon fils, je pourrai t'aider.

Plume-Légère convainc son père d'accepter l'offre du carnassier et de ranger son arme. Au détour d'un sentier, après plusieurs minutes de marche, la jeune fille et le chaman entrevoient un petit harfang des neiges. De plus en plus affamé, Tornade-Bleue s'apprête à abattre l'oiseau de proie, quand la mère de celui-ci se pose sur une branche. Ses yeux perçants fixent les deux humains.

— Épargne-le et je te rendrai service pour te remercier.

La fillette convainc de nouveau son père de libérer le petit. Malgré sa faim, Tornade-Bleue laisse le bébé harfang partir. D'un pas décidé, tous deux se déplacent ensuite jusqu'au cours d'eau. Des saumons s'amusent à attraper des insectes, mais l'un d'eux rate la cible et tombe près du magicien.

— Enfin, je pourrai manger un merveilleux repas ! s'exclame l'homme.

Il le prend dans ses mains avec la ferme intention de s'en régaler, quand un second saumon, plus grand que le premier, saute sur la berge à son tour.

— Si tu acceptes de remettre mon fils à l'eau, je t'aiderai, affirme-t-il. Je sais où trouver le coquillage et je te conduirai à la caverne que tu cherches.

Aussitôt dit, aussitôt fait. Le poisson les mène alors au pied d'un gros chêne.

— Tu découvriras la vie du méchant sorcier à l'intérieur de cet arbre.

— Ne devais-tu pas me montrer la grotte ? demande le chaman.

Le saumon est déjà disparu dans les profondeurs de la rivière. L'homme examine les environs et repère, dans le tronc, une brèche assez grande pour s'y introduire. Plume-Légère et Tornade-Bleue entrent la tête dans le trou pour y jeter un œil, mais ils se font aussitôt aspirer par un vent chaud. Tous les deux se retrouvent alors dans un endroit humide, entouré de parois brillantes.

— La caverne ! s'exclame Plume-Légère.

Son père retire la précieuse pierre blanche de son carquois et la place dans sa main ; son éclat illumine la grotte. Les racines du chêne descendent jusqu'au sol. Tornade-Bleue découvre un sac en peau de loutre dans leur enchevêtrement, qu'il décide d'emporter. Les visiteurs repassent à l'intérieur de l'arbre et se retrouvent ensuite à l'air libre. Lorsqu'ils ouvrent la pochette, un écureuil en surgit, mais se sauve aussitôt.

Plume-Légère court pour le rattraper, mais la bête reste introuvable. Déçu de la tournure des événements, le sorcier s'assoit sur une bûche, à côté de sa fille, pour réfléchir. Il est toutefois interrompu par la mère louve qui arrive avec le mammifère dans sa gueule.

— Comme tu vois, on a toujours besoin des autres, mon cher ami.

Tornade-Bleue se félicite d'avoir écouté son enfant et remercie la louve avant d'ouvrir les entrailles du rongeur, d'où sort une hirondelle qui file se cacher à son tour.

Le sorcier tire plusieurs flèches dans sa direction, mais rate sa cible. Sa fille se précipite vers l'oiseau, mais réussit tout au plus à lui arracher une plume.

6

Espoir

Les voyageurs s'abandonnent au désespoir un moment. Tout à coup, un bruit dans le ciel attire leur attention. Le harfang des neiges sauvé de la mort se dirige vers eux à tire-d'aile; une hirondelle est prisonnière de ses griffes.

— Je te la ramène pour t'exprimer ma reconnaissance. Bonne chance à vous deux.

Sans attendre, Tornade-Bleue ouvre l'oiseau. Dans son ventre se cache un œuf gluant. Par mégarde, il l'échappe en le nettoyant dans la rivière.

Il essaie en vain de le reprendre, mais le fort courant l'a déjà emporté en aval.

Motivé par l'espoir de retrouver l'œuf et de préserver la vie de son garçon, le père plonge dans les flots. La coquille brunâtre disparaît cependant dans les profondeurs. Triste et découragé, le chaman retourne sur la rive, où il fait les cent pas. Des larmes coulent sur les joues de la fillette.

— Manitou protège le méchant sorcier. Jamais plus je ne reverrai mon frère Éclair-Brûlant.

Un saumon géant surgit alors de l'eau.

— Je te rapporte le précieux objet. Tu as épargné mon fils, je sauve le tien à mon tour.

Plume-Légère remercie chaleureusement le poisson; l'espoir renaît dans le cœur du père et de la fille. Tornade-Bleue brise la coquille, cache son contenu dans la queue de l'écureuil et l'attache à son cou.

Pour sa part, Plume-Légère fait rôtir l'hirondelle et l'écureuil sur un feu nourri de bois sec. Le père et la fille dévorent ce repas à pleines dents. Rassasiés, ils sautent ensuite dans le canoë et rament ferme pour retourner au village.

7

Une invitation imprévisible

Dès leur arrivée au tipi familial, Tornade-Bleue se couche sur sa natte et, sans prévenir sa femme, feint une maladie grave. Au courant du stratagème, sa fille reste calme, mais la respiration rapide et inégale de l'homme inquiète Fleur-Orangée. Elle prend la main de son mari pour le réconforter. Des larmes se fraient un chemin jusqu'à son menton, puis tombent sur ses bras.

— Que se passe-t-il, mon cher amour ?

— Tu dois convaincre Noirfaucon de venir me soigner sans délai. Demande au sage Cœur-Vaillant de le retrouver. Si ce serpent venimeux refuse, fais-lui savoir que j'irai rejoindre mon père dans la lune, près de Bison-Sacré.

— Si cette vipère s'approche de toi, il brisera ta vie et celle de ta famille pour se venger ; il envie tes pouvoirs et ta sagesse.

— Aie confiance, répond son mari. Un songe m'a révélé que je mourrai très vieux si mon ennemi accepte de venir à mon chevet. Supplie-le s'il le faut.

Pendant ce temps, dans la forêt, Noirfaucon donne à manger à son jeune prisonnier.

— Prépare-toi pour un lointain voyage. Ton père semble trop lâche pour m'affronter.

Éclair-Brûlant le regarde droit dans les yeux pour le défier et lui démontrer sa bravoure. Au même instant, une corneille se met à tournailler au-dessus de leur tête en craillant de toutes ses forces pour attirer l'attention. Le geôlier l'interpelle :

— Que veux-tu, stupide bestiole noire ?

L'oiseau descend lentement jusqu'au sol, puis se métamorphose en humain. Le sorcier reste pétrifié.

— Cœur-Vaillant ! Que me vaut cet honneur ?

— Tornade-Bleue agonise ; il désire te voir avant de rejoindre Bison-Sacré dans la lune.

— Pour quelle raison accepterais-je de soigner mon pire ennemi ?

— Pour te réconcilier avec lui. Vite ! Le temps presse.

Après une courte réflexion, le chaman acquiesce à la requête de Cœur-Vaillant. Par mesure de prudence, il décide de garder Éclair-Brûlant en captivité. En réalité, il consent à se rendre au chevet de son adversaire avec un immense bonheur ; sa joie intérieure en dit long sur ses intentions vengeresses. L'homme pourra enfin s'emparer des pouvoirs de Tornade-Bleue.

8

L'aide du bison aux poils d'or

Tout de suite après le départ de Noirfaucon, un garçon aux cheveux de jais et d'une sublime beauté arrive sur les lieux. Il s'approche du prisonnier et esquisse un sourire. Éclair-Brûlant lui demande :

— Qui es-tu ?

— Je m'appelle Bison-Sacré et je viens te libérer.

L'inconnu lève la main et les liens d'Éclair-Brûlant disparaissent comme par magie. Le sauveur se transforme alors en magnifique bison aux poils d'or. Il ordonne au jeune homme de grimper sur son dos.

— Un jour, Éclair-Brûlant, tu deviendras un célèbre sorcier. Je désire te sauver, car tu devras protéger ton peuple à ton tour, quand ton père me rejoindra dans l'astre sacré. Pour le moment, nous devons le soutenir dans cette épreuve.

Durant ce temps, à l'arrivée de Noirfaucon dans le tipi de Tornade-Bleue, ce dernier place la main sur la queue d'écureuil pour comprimer l'œuf dissimulé à l'intérieur.

— Je ressens un étrange malaise, déclare Noirfaucon. Que se passe-t-il donc ?

Le dos courbé, le nouveau venu tombe à genou. Tornade-Bleue se lève d'un bond en dévisageant son ennemi. Puis, il sort le coquillage pour lui apprendre la vérité :

— Je tiens ta misérable existence entre mes doigts, Noirfaucon. La tribu vivra en paix, désormais.

Le méchant chaman devient blême ; il se sent perdu. La peur se lit sur son visage bronzé, ravagé par le vent et le soleil de la plaine infinie. Désespéré, il supplie son rival :

— Si tu acceptes de m'épargner, je te ferai cadeau de mes précieux dons.

— Je te prenais pour un brave, mais tu gémis comme un enfant.

— Tu vivras éternellement, promet Noirfaucon.

— Tu as commis trop de crimes. En plus d'enlever mon fils de dix ans, tu as essayé de me tuer. Là-haut, dans le paradis des sorciers, on te guérira de ta méchanceté maladive. Seul Bison-Sacré peut effacer tes fautes.

À ces mots, Tornade-Bleue écrase le coquillage avec ses doigts.

Noirfaucon s'effondre sur-le-champ. Une seconde plus tard, le bison aux poils dorés arrive devant le tipi ; Éclair-Brûlant chevauche la bête lumineuse. Heureux de retrouver ses parents, le garçon se précipite dans leurs bras.

— Je viens chercher le sorcier décédé, lance le grand bœuf sauvage.

Le corps inerte du mort flotte un moment dans l'air, puis se pose lentement sur le dos de Bison-Sacré. L'animal se dirige ensuite tout droit vers la lune et disparaît dans un léger brouillard.

Le décès du méchant chaman fait naître le bonheur dans la tribu des Plaines. Les hommes et les femmes organisent une fête majestueuse le soir même et dansent autour d'un feu de joie pour souligner l'avènement d'une ère nouvelle.

Dorénavant, aucun sorcier ne provoquera la famine. La tranquillité semble assurée dans les wigwams du village.

La vallée des grands bisons

de

Viateur Lefrançois

1

Sécheresse et exode

Une trentaine de familles marchent d'un pas traînant dans la plaine immense et aride. Ils espèrent trouver un peu de nourriture et de l'eau pour se rafraîchir. Plusieurs s'appuient sur de longs bâtons pour mieux se soutenir. La famine sévit cruellement.

La chaleur et le soleil ont transformé la terre, jadis verdoyante, en un désert interminable. Bien avant, des nuées de sauterelles ont dévoré la végétation et laissé derrière elles un sol parsemé de touffes d'herbe séchée. Des arbres rabougris jalonnent leur parcours comme des ombres menaçantes. Le manque de nourriture a forcé les animaux à s'éloigner. Le départ des grands bisons compromet la survie de la tribu. Plusieurs aînés, les plus fragiles, ont quitté le clan pour un monde meilleur ; seuls les plus forts résistent encore.

Le sorcier Aigle-Rouge jette un regard sur ses deux enfants et leur mère : *survivront-ils à la famine et à cet exode sans fin ?*

Tous les soirs, l'homme implore le Grand Esprit de ramener auprès d'eux les troupeaux de bisons. Malgré son extrême faiblesse, il exécute la danse de la pluie. Depuis au moins douze lunes, la tribu des Outardes erre sur un territoire dévasté, espérant trouver un refuge accueillant où elle pourra s'installer. Afin de sauver son peuple, le chaman lance un ultime appel au Manitou.

— Je t'en supplie ! Aide les miens. Interviens le plus vite possible, car les enfants ont faim et soif. Il ne reste aucun insecte dans le sable pour les rassasier ; mes compagnons doivent maintenant ronger de maigres racines pour survivre. Certains pensent que tu nous as abandonnés ; plusieurs d'entre eux commencent même à douter de ton existence. Comble de malheur, des dizaines de désespérés ont quitté la tribu afin de trouver ailleurs une terre nourricière et giboyeuse.

Un coup de tonnerre inattendu résonne dans le ciel. Un éclair éblouit le firmament et prend la forme d'un esprit malin. Le sorcier s'empresse de protéger ses enfants, Élan-Bleu et Brise-Légère, de ses bras. Tous les membres de la tribu se prosternent pour demander à l'être maléfique de les épargner. Celui-ci s'adresse à eux d'une voix caverneuse :

— Je vous observe, peuple des Outardes, et je me désole devant votre manque de persévérance. Je devrais sévir pour vous ramener à la raison !

— Quand l'estomac crie famine, réplique Aigle-Rouge, le cerveau réfléchit mal. Je t'en supplie, fais cesser cette sécheresse et ramène vers notre peuple le plus majestueux des gibiers. Les miens ont besoin d'aide.

Un rugissement terrible éclate autour d'eux. L'esprit déclare :

— Je vous aurai prévenus !

Grand-Duc, le grand chef, tente en vain de minimiser les craintes de son clan devant ces paroles remplies de mystère. Des pleurs et des lamentations fusent de partout. Qu'ont-ils fait pour mériter une telle punition ? La tribu n'a-t-elle pas assez souffert ?

Soudain, une lueur intense éclaire la plaine. Un vacarme assourdissant retentit, suivi d'un tremblement de terre. Affolés, les gens tombent à genoux ; quelques guerriers entourent Aigle-Rouge pour implorer son aide. À peine peuvent-ils tenir debout sur leurs faibles jambes. Bon-Loup, le carnassier apprivoisé, hurle à la lune. Puis, dans un énorme fracas, l'écorce terrestre glisse et s'effondre à plusieurs endroits.

Apeurés, Élan-Bleu et Brise-Légère saisissent la main de leur père. Bon-Loup, tremblant de frayeur, place sa tête sur les pieds du garçon. Feuille-au-Vent s'agrippe au bras de son mari. Les yeux rivés sur le paysage devenu méconnaissable, les autres forment un cercle étroit autour de la famille du sorcier. La colline s'est affaissée et des dunes ont poussé près du campement. Des formes étranges sont apparues à la surface de la Terre. Stupéfait, Grand-Duc examine les ossements :

— Des squelettes de gibiers…

— Le Grand Manitou se moque de nous, déclare un guerrier. Nous mourons de faim et de soif, et il nous envoie des os !

— Nous ne croyons plus en toi, sorcier ! crie l'un des hommes. Quittons vite cette terre avant qu'elle ne devienne notre cimetière.

Grand-Duc lève les yeux vers le firmament ; de gros nuages noirs obscurcissent le ciel. Le vent souffle de plus en plus fort, emportant le sable de la plaine désertique dans son sillage. Les familles courent dans tous les sens pour se mettre à l'abri ; certains se couchent sur le sol ou s'agrippent aux racines enchevêtrées. Ne sachant que faire, des membres de la tribu se cachent au milieu des ossements anciens. Le loup se blottit contre le sorcier. Le vent s'apaise enfin, et tout redevient calme.

Grand-Duc et ses guerriers restent immobiles, entassés les uns sur les autres, incapables de bouger après ce puissant séisme. Ils respirent à peine, leurs paupières se ferment. Les nomades sont plongés dans un sommeil profond. Un nuage de poussière, provoqué par les ailes d'un oiseau géant, enveloppe les membres de la famille du chaman et les entraîne vers une terre mystérieuse.

2

Un ciel orangé

Un aigle énorme vole haut dans le ciel assombri. Au loin, une lumière à peine visible capte l'attention du sorcier. Tout est silencieux, à part le bruit du vent dans ses oreilles. Puis, soudain, des cris retentissent de partout et de nulle part à la fois. Toute la famille s'agrippe de leurs doigts rachitiques aux plumes du gigantesque oiseau.

L'obscurité s'effiloche enfin, et le panorama s'éclaircit. Un léger brouillard s'évapore et l'horizon adopte les tons de l'arc-en-ciel. Le sorcier des Outardes et les siens survolent une terre verdoyante.

Un paysage montagneux défile sous leurs yeux. Juste en dessous, dans la vallée, un troupeau de bœufs sauvages broute librement. Les voyageurs exultent, car ils mangeront bientôt à leur faim. Au loin, une neige éternelle s'étend sur les pics rocheux des massifs. L'aigle entame sa descente.

— Où sommes-nous ? demande Brise-Légère.

— Je l'ignore, répond son père. Nous aurons tôt fait de le découvrir. Le Grand Manitou nous offre peut-être ce territoire…

Le sorcier garde le silence, tout en observant les environs. Feuille-au-Vent place sa main sur la tête de Bon-Loup pour le calmer. Ce dernier a déjà jeté un œil intéressé aux animaux de la vallée.

Un vent violent fait frissonner les voyageurs. Puis, de l'air chaud surgit du sol, ralentissant leur descente. L'oiseau se dirige vers un immense plateau rocheux aux falaises escarpées.

3

Des animaux convoités

Les animaux, d'abord minuscules, deviennent de plus en plus gros.

— Nous pourrons chasser et...

L'atterrissage, qui s'est pourtant effectué en douceur dans l'herbe folle, force le garçon à interrompre sa phrase. Des dizaines d'érables aux larges feuilles colorées montent vers le ciel. Par chance, le danger de basculer dans l'escarpement semble écarté. Après avoir laissé descendre ses passagers, l'aigle repart aussitôt.

Une agréable odeur de viande rôtie parvient jusqu'aux visiteurs. Ils aperçoivent alors un feu de camp ; des morceaux de bœufs sauvages bien cuits reposent sur des pierres chaudes. Une petite voix rassurante les interpelle :

— Bienvenue, mes amis, prononce un garçon aux cheveux noirs, luisants et mi-longs. Je m'appelle Petit-Bison et j'ai préparé un repas afin de vous recevoir dignement.

L'inconnu aux yeux marron les invite à se joindre à lui d'un large geste de la main. Tous se précipitent sur la chair cuite afin de soulager leur estomac vide. En silence, ils croquent à belles dents dans la nourriture. Rassasié, Aigle-Rouge demande :

— Où l'esprit nous a-t-il transportés ?

— Dans la vallée des Bisons, répond le jeune garçon. Je vous servirai de guide pendant votre séjour.

Après le repas, les quatre visiteurs suivent leur hôte jusqu'au bord du précipice. Devant les yeux ébahis des voyageurs, un immense troupeau de bisons évolue en rang serré dans la plaine.

— Prenons nos arcs, papa ! suggère Élan-Bleu.

— Nous avons atterri sur un haut plateau protégé par des gouffres, répond Aigle-Rouge. Il nous est impossible de descendre.

— Manitou vous a conduits ici pour une raison précise, déclare Petit-Bison. Esprit-Géant a emprisonné tous les bœufs sauvages de la terre dans cette vallée. C'est pour cette raison qu'ils ont disparu des plaines, et que votre tribu meurt de faim.

— Pour quel motif nous a-t-on amenés dans ce lieu ?

— Seul un sorcier peut les délivrer. Si vous acceptez, votre mission consistera à découvrir une pierre lumineuse avant le coucher du soleil. Elle se trouve dans une caverne. Vous devrez réussir aujourd'hui ; sinon, elle s'éteindra pour toujours.

— Qu'arrivera-t-il si nous échouons ? demande Feuille-au-Vent.

— Les bisons resteront prisonniers dans cette vallée, répond le garçon. Tous les membres des tribus de la grande Terre finiront en esclaves, car Esprit-Géant provoquera une famine encore plus cruelle.

— Que ferons-nous de ce précieux objet ? demande Brise-Légère.

— Quand vous l'exposerez au soleil, l'esprit maléfique perdra ses pouvoirs et les bisons seront libres de paître à nouveau dans vos plaines. La vie reprendra son cours, et la survie de votre peuple sera assurée.

— Alors, il n'y a plus de temps à perdre, lance Aigle-Rouge. Nous devons réussir !

Sa femme et ses enfants se jettent des regards angoissés ; ils tournent ensuite leurs yeux vers l'abîme sans dire un mot, absorbés dans leurs pensées.

4

Esprit-volant

Aigle-Rouge comprend l'inquiétude de sa famille. Il essaie lui-même de maîtriser ses propres craintes.

L'aigle survole le terrain et frôle les visiteurs de son aile. Il se pose enfin et fixe les inconnus d'un œil curieux, presque malicieux. Petit-Bison le salue avec respect, mais Petit-Élan en perd la voix.

— Je m'appelle Esprit-Volant, leur apprend l'oiseau. Je suis l'envoyé de Manitou. Je vous ai conduits ici pour vous aider à découvrir la pierre lumineuse; elle vous aidera à libérer l'animal qui nourrira votre peuple. Manitou a exaucé votre vœu.

L'aigle les invite alors à monter sur son dos pour aller dans la vallée des Bisons.

— Je vous accompagne, dit Petit-Bison. J'aimerais vous présenter mes amis de la vallée.

L'oiseau repart avec les visiteurs et Petit-Bison. Il survole la plaine un moment, puis plonge dans le vide en lançant des cris stridents. Les passagers restent calmes, malgré la crainte que leur inspire le vol plané de cet énorme animal.

Esprit-Volant atterrit dans un champ rempli de petits fruits et de rosiers rustiques, entouré d'une forêt verdoyante. L'odeur des fleurs se mêle à celui des pins pour former un parfum exquis. Les bisons observent les nouveaux venus d'un œil indifférent ; Bon-Loup émet quelques grognements, mais reste collé à ses maîtres.

— Bienvenue dans notre oasis, déclare Petit-Bison.

Attiré par les bisons, Bon-Loup court vers le troupeau. Du coup, Feuille-au-Vent part à sa recherche, mais la bête apprivoisée file à toute allure dans la plaine.

5

Petit-Bison

Brise-Légère et Élan-Bleu essaient à leur tour de rattraper Bon-Loup ; il court au milieu du troupeau en louvoyant, ignorant les appels répétés de ses maîtres. Leurs voix se perdent dans le tumulte causé par les bêtes. Un petit bison s'écroule soudainement en lançant un cri terrifiant.

Effarés, les grands bœufs sauvages courent à toute épouvante ; plusieurs se réfugient dans la forêt. C'est la débandade totale. La poussière, soulevée par leur course folle, couvre une partie de la vallée. Les visiteurs s'enfuient pour éviter de se faire piétiner par le troupeau apeuré.

La famille saute par-dessus les bosquets pour s'abriter derrière un rocher. Les animaux en panique passent tout près sans remarquer leur présence. La poussière retombe peu à peu. Petit-Bison intervient :

— Allons nous cacher dans la grotte ; nous pouvons maintenant nous y glisser sans danger.

Les fuyards profitent de l'accalmie pour traverser la clairière. Sains et saufs dans leur abri, ils respirent mieux. Leur arrivée chasse cependant des centaines de rats ; les bêtes courent dans tous les sens en essayant de se camoufler dans les recoins obscurs.

— Mes amis, lance Petit-Bison. Je peux vous aider à retrouver la pierre lumineuse. Je connais la solution.

6

La fuite

Après quelques minutes de repos dans la caverne, les occupants entendent un rugissement connu. Bon-Loup, la queue basse, se couche dans un coin.

— L'esprit maléfique est de retour, murmure Petit-Bison. Il vous recherche... Pressons-nous !

— Comment pouvons-nous trouver cette pierre ? demande Aigle-Rouge.

— Je connais un chemin sécuritaire... enfin, presque. Suivez-moi !

Le jeune guerrier se dirige vers le fond de la caverne. Plongés dans une demi-obscurité angoissante, lui et ses amis se glissent dans un étroit passage. Les visiteurs longent un autre couloir d'une centaine de mètres avant de s'arrêter. Quelques gouttelettes d'eau tombent du plafond. Ils marchent de longues minutes, puis une ouverture laisse apparaître le ciel bleu. Avec les rayons du soleil qui s'infiltrent dans l'antre, les rochers scintillent de tous leurs feux. Cependant, les étrangers disposent de peu de temps pour s'émerveiller : l'esprit malin pourrait les surprendre à tout moment.

Le petit groupe poursuit sa route avec prudence. Pour une raison inconnue, Bon-Loup se met à hurler. Tout à coup, une nuée de chauves-souris s'élève d'un seul jet et forme une muraille.

— Vite ! ordonne le guide. Dirigeons-nous vers le second couloir. Ces bestioles mordent quand on les dérange.

Sans demander plus d'explications, Feuille-au-Vent, Aigle-Rouge, Brise-Légère et Élan-Bleu s'élancent comme des cerfs en liberté. Le passage devient si étroit que les fuyards doivent se suivre à la file indienne. Soudain, le regard horrifié, Feuille-au-Vent pousse un cri épouvantable. Ses compagnons se retournent pour apercevoir des centaines de couleuvres surgir des murs fissurés.

— C'est l'œuvre de l'esprit malin, déclare Aigle-Rouge. Ne nous laissons pas distraire. Continuons !

Feuille-au-Vent refuse d'avancer. Elle croit plus prudent de remonter sur le plateau le plus vite possible.

— Nous touchons au but ! lance Petit-Bison. Nous devons d'abord découvrir une cavité dans la cloison de la caverne.

— Nous pourrions escalader les parois qui mènent à l'extérieur de la grotte, propose Feuille-au-Vent. Je suggère de revenir plus tard ! Avec de la chance, Esprit-Volant survolera les lieux.

— Nous devons retrouver la pierre lumineuse avant le coucher du soleil ! leur rappelle Aigle-Rouge. Il nous reste peu de temps.

Petit-Élan ne les écoute plus. Il entre dans une cavité d'où émane une lueur. Il croit avoir trouvé l'objet tant convoité. La pierre brille et lance des reflets aux couleurs de l'arc-en-ciel.

— Seul un sorcier doit la toucher, souligne Petit-Élan. Faites vite ! Sinon, elle s'éteindra pour toujours.

À peine le garçon a-t-il terminé sa phrase qu'un crépitement bizarre se fait entendre.

— Elle mourra bientôt, murmure le guide.

Aigle-Rouge saisit aussitôt la pierre de sa main décharnée. Tous suivent Petit-Bison au pas de course pour franchir un autre tunnel.

7

Suivre le vent

Le couloir aboutit dans une seconde grotte, aussi spectaculaire que la première. Une rivière la sillonne en son centre et s'enfonce dans les profondeurs de la terre. Les promeneurs sautent d'une roche à l'autre pour traverser le cours d'eau. Ils se désaltèrent un court instant, puis repartent vers la lumière du jour. Tous se précipitent vers la sortie où ils espèrent retrouver la liberté. Un soleil de plomb accueille les fuyards ; un courant d'air tiède voyage au-dessus de leur tête.

Un terrible grondement, que l'écho renvoie avec une clarté surprenante, résonne dans la vallée. Des frissons passent sur le corps des étrangers. Ils se blottissent les uns contre les autres, près du guide.

— L'esprit malin ! lance Petit-Bison.

L'énorme créature les fixe de ses yeux féroces. Le groupe tremble devant le colosse enragé. Aigle-Rouge brandit la pierre lumineuse devant le gardien de la vallée, lequel disparaît aussitôt.

Le chaman saute de joie :

— Nous venons enfin de briser nos chaînes. À nous la liberté !

Petit-Bison prend la parole :

— L'heure est venue de rejoindre les membres de votre tribu. Cette pierre demeurera le symbole d'une nouvelle vie. À votre retour, vous saurez où aller pour recommencer votre existence. Ignorez la peur; cela vous permettra d'affronter tous les défis. Surtout, suivez le vent, il vous indiquera la route à suivre.

Le garçon claque des doigts; les visiteurs disparaissent comme par enchantement.

***

Aigle-Rouge sursaute à son réveil. La brise a ramené sa famille à l'endroit désertique qu'elle a quitté à l'aurore. S'agissait-il d'un rêve? Ont-ils vraiment vécu ces événements? À ses côtés, les guerriers pestent contre le mauvais sort qui les plonge dans la misère. Ils sont prêts à sortir les lances pour débattre leur point. Tous veulent partir.

— Pour quelle raison Manitou nous maintient-il dans la famine ? Il se moque de nous. Quel affront !

— Je comprends votre déception, répond Aigle-Rouge ; il existe néanmoins une explication pour chaque événement que la vie nous envoie. Suivons le vent…

La détermination du chaman est convaincante. Les membres de la tribu reprennent la route d'un air résigné. Sous un soleil de plomb, marchant dans le sable brûlant, tous avancent péniblement dans la plaine désertique. Même si leurs pieds rougissent et se garnissent de plaies, une énergie nouvelle les incite à persévérer. Pour sa part, le sorcier tente d'interpréter son rêve, mais la souffrance le rend incapable de méditer. La brise les pousse cependant vers l'ouest, inlassablement.

Soudain, au loin, une vision attire son attention. L'homme explore l'horizon en silence pour éviter de décevoir ses compagnons une fois de plus. Puis…

— Une montagne ! crie Aigle-Rouge.

Engourdis par la chaleur et la fatigue, les guerriers tournent lentement la tête vers la droite. Leurs yeux et leur esprit se réveillent peu à peu devant ce paysage grandiose. L'espoir renaît. Aigle-Rouge leur aurait donc indiqué la bonne direction ?

Le cœur joyeux, les membres de la tribu se dirigent vers les hautes terres d'un pas toujours aussi lent. Ils arrivent devant une immense muraille. Un trou dans la pierre laisse Brise-Légère bouche bée.

— La grotte de la nuit dernière !

— Le lieu de notre rêve, poursuit son frère.

Soudain, le sol se met à trembler sous leurs pieds. Des bruits de sabots se rapprochent. Ils n'en croient pas leurs yeux : un troupeau de bisons défile devant eux dans la plaine verdoyante.

Aigle-Rouge prend la parole :

— Mes amis, cette nuit, Manitou m'a fait comprendre que le bonheur est possible. Le chemin de la persévérance est toujours le meilleur. Parfois, ce que nous cherchons ailleurs existe tout près.

— Nous enverrons des guerriers à la recherche de nos frères qui ont décidé de prendre une direction différente, déclare

Grand-Duc. Ils les ramèneront dans notre nouveau village, car nous devons partager notre abondance.

Satisfaits, joyeux, main dans la main, le sorcier, le chef et toute la tribu forment un cercle pour remercier Manitou de ce cadeau inespéré. Les pensées d'Aigle-Rouge s'envolent aussi vers Petit-Bison et Esprit-Volant.

Grand-Duc sort le calumet pour honorer Grand Manitou, qui les a guidés vers une terre d'abondance. Il suffisait d'ignorer la peur et de suivre le vent.

L'enchanteur de la forêt

d'Eugène Achard

Légende américaine adaptée d'un vieux conteur allemand

Adaptation de Viateur Lefrançois

***

Avec ce texte, nous voulons rendre hommage à Eugène Achard, l'un des premiers auteurs de romans pour la jeunesse au Québec. Pendant des décennies, monsieur Achard a contribué à faire connaître les légendes et les histoires d'ici et, surtout, à faire aimer la lecture à des milliers de jeunes. Nous remercions ses héritiers d'avoir si gentiment accepté notre proposition d'adapter ce conte et de le publier.

Avertissement :

Vous demeurez au bord de la mer ou alors vous visitez quelqu'un qui vit sur la rive d'un lac, d'un fleuve ou d'une rivière? Méfiez-vous, cette histoire pourrait vous arriver à tout moment. Aucun endroit n'est à l'abri du fléau.

1

Un invité à quatre pattes

Sur le bord d'un grand fleuve, en 1867, les citoyens de la coquette petite ville de Port-Gentil coulent des jours heureux. L'emplacement de cette agglomération, choisi avec soin sur le flanc d'une colline ensoleillée et au fond d'une baie tranquille, donne une impression de sérénité.

Le sol est extrêmement fertile et les eaux environnantes s'avèrent aussi poissonneuses qu'au premier jour de la colonie. Les commerces fleurissent, la vie est devenue à la fois facile et agréable; tellement, que de nouveaux citoyens arrivent de partout pour s'établir dans la cité.

Toutes les semaines, le port se remplit d'une demi-douzaine de navires en provenance d'Europe et d'Asie, qui chargent et déchargent des marchandises. Sur les comptoirs des magasins s'étalent des ballots d'étoffes ou de soieries aux couleurs chatoyantes, et des fruits exotiques aux arômes sucrés. À côté, les acheteurs s'arrachent les pelleteries[1] fines et recherchées.

Presque chaque jour, une habitation neuve surgit de terre ; tous les mois, les responsables de la cité doivent choisir un nom pour une nouvelle rue.

Les municipalités voisines considèrent avec envie la croissance rapide de leur rivale. Les maires se demandent d'ailleurs si Port-Gentil se transformera d'ici peu en capitale régionale.

Tout va pour le mieux dans le meilleur des mondes lorsque, soudain, sans préavis, un fléau aussi bizarre qu'inattendu frappe la ville : une invasion de rats. L'événement déconcerte et remplit d'angoisse tous les habitants de la paisible et florissante localité.

D'où proviennent ces rongeurs ? Sont-ils arrivés dans un navire en provenance d'Europe ? Les gens l'ignorent. Les animaux se multiplient et infestent bientôt tous les quartiers.

Les rats parcourent les lieux en bandes ; les citoyens en repèrent sur les clôtures, sur les trottoirs, sur le seuil des maisons, sur les corniches, sur les murs, et même sur les toits.

---

1 Commerce des fourrures.

Dans les appartements, il devient impossible de se promener sans écraser quelques-uns de ces indésirables. Les bêtes trottent sur le parquet, sautent sur les tables et sur les lits, et vont de chaise en chaise. Les rongeurs envahissent les garde-robes et, quand un individu prend un veston, un pantalon ou une chemise, ils surgissent de toutes parts. Parfois, ils s'agrippent aux cheveux des femmes ; le juge a même trouvé un rat dans sa perruque.

Quand une cuisinière soulève le couvercle d'une casserole, elle découvre qu'un groupe de petits monstres y a installé ses pénates. Le soir, au moment d'aller au lit, des bandes de rats effarouchés sortent des draps.

Par chance, ces animaux ne mordent jamais les habitants ni ne les attaquent. Cependant, au mouvement des bras, des pieds ou de la tête, les citadins se heurtent à l'un des nombreux rongeurs.

La vie à Port-Gentil devient plus difficile, voire insupportable. Sur un ton méprisant, les citoyens surnomment désormais l'endroit Port-aux-Rats. Plusieurs propriétaires ont déjà abandonné leur maison pour s'établir ailleurs ; les villages des environs accueillent des centaines de nouveaux réfugiés chaque semaine. Pour la plupart des résidants, impossible de déménager et de tout laisser derrière eux. À cause de cette invasion, les malheureux subissent un véritable supplice, en plus d'avoir perpétuellement peur. Certains commencent même à croire qu'il s'agit d'un châtiment du ciel.

Le conseil de ville se met rapidement à l'œuvre et ne néglige aucun aspect. Les employés poursuivent les rats pour essayer de les tuer à coups de gourdin ; ils les empoisonnent ou les écrasent sous d'énormes pierres. Ils les pourchassent de cent façons. Mais leur nombre, au lieu de décroître, augmente. Comble de malheur, les animaux morts empestent l'air et menacent de causer des épidémies. Devant l'insistance des médecins, les conseillers ordonnent donc de cesser le massacre. À la suite de cette décision, les rats deviennent les véritables maîtres de Port-Gentil.

2

Un coup de main inespéré

Les choses vont de mal en pis dans la localité consternée. Un matin, lors de la réunion du conseil municipal, les élus entendent trois coups à la porte de la salle. Le maire interrompt son travail :

— Entrez, qui que vous soyez.

Les gens présents tournent les yeux vers le hall : apparaît alors un Amérindien à la peau basanée. Ce personnage étonnant est vêtu d'une chemise de cuir et d'un pantalon recouvert de guêtres[2]. Il chausse des mocassins. Sur ses épaules, il porte une couverture ornée de dessins en poils de porc-épic. Son visage aux traits énergiques, relevé de tatouages, lui donne un air de vieillesse factice, mais pleine de dignité. Ses petits yeux brûlent d'une lueur

2 Bande de cuir ou de tissu qui recouvre le haut de la chaussure et parfois le bas de la jambe.

ardente et lui donnent un regard pénétrant. Un collier de délicats coquillages entoure son cou, pour retomber sur sa poitrine. Un bandeau retient une partie de sa longue chevelure poivre et sel, dans laquelle il a placé une plume d'aigle; elle indique qu'il est chef de tribu.

Sa bouche, fine et mystérieuse, sourit de façon aimable, mais énigmatique. Lorsque le nouveau venu s'incline pour esquisser une révérence, le magistrat lui demande :

— Comment t'appelles-tu?

— Je suis, auprès de toi, le messager d'Areskoui, notre Manitou. Mon nom est Ké-Ontha-Héka. Mes frères iroquois me nomment *l'Enchanteur de la forêt.*

— Que veux-tu?

— Vous délivrer de vos rats.

À ces mots, tous s'approchent de lui, intéressés.

— Quel procédé emploieras-tu pour y arriver? demande un conseiller.

— Tu l'apprendras bien assez tôt, répond l'Amérindien.

— Et que réclames-tu pour exécuter ce travail?

— Si je parviens à vous débarrasser de ces rongeurs, vous me remettrez mille couvertures de laine pour les gens de ma tribu. S'il en reste un seul après mon intervention, vous ne me devrez rien.

— Nous t'en fournirons dix mille si tu réussis à mettre fin à cette horrible invasion, promet le maire.

— Mille me suffiront, répète le nouveau venu.

Après discussion, les élus conviennent d'accéder à sa demande, s'il tient parole.

L'homme sort tranquillement de l'hôtel de ville ; une fois sur la place du Souvenir, l'étranger retire de son manteau une espèce de bâton renflé, creux et rempli de cailloux.

Il se met aussitôt à l'œuvre ; il secoue son instrument de façon cadencée, produisant ainsi une mélopée sourde et bizarre.

D'emblée, et comme par miracle, les rats des alentours semblent envoûtés par la mélodie. D'un même élan, les bêtes se dirigent vers l'enchanteur et commencent à le suivre dans les rues.

3

Des rats obéissants

Les rats surgissent de partout : des portes, des fenêtres, des trous. Bientôt, une quantité phénoménale de rongeurs se déplace en produisant un bruit sourd; ils suivent bel et bien l'Amérindien. La ville entière assiste au prodigieux événement.

— Je ne pourrais pas le croire si je ne le voyais pas, lance un citoyen.

— Les maisons se vident de leurs rats, observe son voisin.

La chaussée semble vivante, les pierres paraissent bouger et le nombre de rongeurs diminue d'heure en heure.

— Incroyable ! Stupéfiant ! crient les résidants de Port-Gentil, ravis.

— Je me réjouis à l'idée de voir notre cité revivre après cette infestation, lance un autre.

— Nous retrouverons enfin la tranquillité, souligne un commerçant. Ceux qui sont partis reviendront, les navires réapparaîtront dans notre port et les affaires reprendront, plus florissantes que jamais.

— Bienheureux Ké-Ontha-Héka, qui est venu nous rendre tout ce que nous avions perdu ! crie un conseiller municipal.

Tandis que les habitants s'extasient devant le miracle, l'enchanteur de la forêt poursuit sa marche jusqu'à l'extrémité de l'agglomération, sans cesser de jouer de son *chichikoué*, dont la mélodie monotone continue à produire son effet.

De nouvelles nuées de rats, lesquels semblent impatients de participer à la procession, apparaissent au détour de chacune des artères. Les rongeurs suivent l'Iroquois avec frénésie, sans craindre la fin, sans se préoccuper de rien, désirant seulement marcher derrière ce sorcier qui les fascine, grâce à la musique d'Areskoui.

Le chef avance d'un pas assuré. Où conduit-il les rats ? Va-t-il s'enfoncer dans les bois pour les disperser ?

Arrivé aux limites de la localité, cependant, l'homme bifurque soudain pour se diriger vers la mer ; il continue de secouer son instrument, puis entre résolument dans les flots.

Les animaux talonnent leur charmeur avec ferveur et détermination. Ils périssent noyés jusqu'au dernier.

Quelques heures plus tard, il ne reste plus l'ombre d'un rat dans les rues. Ké-Ontha-Héka remet alors son accessoire magique sous son manteau et retourne vers la mairie pour y être payé.

4

Langue fourchue

Tous les conseillers attendent la visite de leur bienfaiteur avec une certaine fébrilité. Ils le regardent à la fois avec crainte, admiration et suspicion quand il s'adresse à eux d'une voix caverneuse et ferme.

— Ké-Ontha-Héka a tenu sa promesse ; il vient maintenant réclamer son dû.

Le maire a cependant eu le temps de réfléchir. L'éradication du fléau lui rend la conscience plus légère. *Je connais mon devoir d'élu*, se dit-il : *personne ne doit exploiter les citoyens. Après tout, cet individu est un étranger, pire que cela, un Amérindien*, pense-t-il encore. Le magistrat prend donc un air suffisant lorsqu'il répond à son interlocuteur.

— Que me racontes-tu, Iroquois ? Comment oses-tu exiger une récompense si importante pour un travail qui a duré à peine quelques heures ? Nous te donnerons une couverture de laine pour remplacer la tienne. Nous y ajouterons une bouteille d'eau de vie et tu retourneras dans ta tribu.

Un éclair terrible passe dans les yeux de l'enchanteur, qui déclare d'un ton calme, mais ferme :

— Le Visage-Pâle possède une langue fourchue. Il s'en repentira. Areskoui a envoyé Ké-Ontha-Héka à votre secours. Areskoui le vengera de ta fourberie.

Aussitôt ces paroles prononcées, l'Amérindien se rend de nouveau sur la place du Souvenir, sort de son manteau le *chichikoué* magique et se met à l'agiter en marchant droit devant lui.

L'effet est instantané ; cette fois, ce ne sont pas les rats, noyés dans la mer, qui répondent à son appel, mais les enfants de Port-Gentil. Ils s'échappent par les portes et par les fenêtres, et se dirigent au pas de course vers le sorcier. Derrière eux, les mères courent pour les retenir et les ramener à la maison. En vain.

Grâce à l'effet de l'enchantement, personne ne peut empêcher les petits d'obéir à la musique de ce chaman. Les habitants croient à un sortilège. Des voix s'élèvent :

— Qui a le pouvoir ou la puissance mentale de contrer la magie ?

Les habitants connaissent la réponse ; le désespoir les ronge. L'Iroquois marche, comme s'il était étranger à ce qui se déroule autour de lui. Le *chichikoué* continue d'appeler irrésistiblement les jeunes, subjugués par l'inexplicable musique.

Les femmes et les hommes crient à l'aide, supplient l'Amérindien de faire halte, mais celui-ci, sans regarder personne, poursuit son chemin en secouant toujours son instrument magique. Il se montre indifférent aux doléances de la foule en pleurs.

Arrivé aux limites de la ville, impassible, il se dirige vers le rivage. L'enchanteur reste sourd aux appels terrifiés des spectateurs impuissants.

— Il a atteint la mer, hurlent les uns.

— Nos enfants périront noyés, répètent les autres. Prévenez le maire. Vite ! vite ! Racontez-lui ce qui se passe !

Mais déjà, le magistrat accourt comme un fou, car ses trois petits-fils font, eux aussi, partie du cortège fatal.

— Revenez ! Revenez ! Je vous donnerai les couvertures promises. Elles vous attendent dans des charrettes devant l'hôtel de ville. Nos employés vous aideront à les transporter jusqu'à votre village. De grâce, arrêtez, ayez pitié de nos enfants.

Ces mots à peine prononcés, un silence de mort s'abat sur la cité. Le *chichikoué* se tait. L'enchanteur de la forêt se tourne vers le maire à bout de souffle et lui dit :

— Puisque le Visage-Pâle est revenu à de meilleurs sentiments, Areskoui lui pardonnera. Ses enfants lui seront rendus, mais que cela lui serve toutefois de leçon pour l'avenir.

Alors, reprenant son *chichikoué* magique, l'envoûteur l'agite au-dessus de sa tête d'une façon précipitée. Il pousse en même temps un hurlement aigu, comme celui de l'aigle perché au sommet des montagnes.

À ce cri, le charme cesse d'opérer ; les jeunes s'éveillent. Ils retrouvent leurs parents et rentrent paisiblement chez eux.

Le jour même, plusieurs voitures, portant les mille couvertures de laine promises, quittent la ville pour se diriger vers la forêt, sous la supervision de Ké-Ontha-Héka.

Maintenant, partout dans la région, les habitants connaissent la valeur d'une promesse ; tous savent que manquer à sa parole peut entraîner de terribles conséquences.

Un été chez le peuple de l'écorce

de
Viateur Lefrançois

1

Des vacances inespérées

La famille Nikoué a reçu une offre inattendue ce matin : tante Pauline leur confie sa maison pendant son voyage chez les Mayas du Guatemala. Les parents acceptent avec plaisir de passer les huit semaines d'été dans la demeure ancestrale; ils s'estiment chanceux d'avoir la possibilité de se rendre dans leur village natal, Manawan, sur les bords du lac Métabeska, avec les jumeaux Jessica et Jacob.

Le couple d'Amérindiens n'y est plus retourné depuis leur départ pour Trois-Rivières, dix ans plus tôt. Ils y voient l'occasion, pour leurs enfants, de renouer avec la culture atikamekw.

Rex, leur chien de deux ans au poil frisé couleur caramel, les accompagnera pour les vacances. Le barbet d'une soixantaine de centimètres de hauteur possède un tempérament gai, en plus d'être intelligent et affectueux.

Âgés de onze ans, les jeunes bondissent de joie quand Florence et Simon leur apprennent la nouvelle. Leurs yeux marron scintillent à l'idée de connaître la région de Manawan, au nord de Saint-Michel-des-Saints.

Dans la voiture, dont les fenêtres sont ouvertes, les longs cheveux noirs de Jessica flottent au vent. Rex ressent leur bonheur et se tient debout sur ses membres inférieurs, trépignant, aboyant et sautillant sur la banquette arrière, démontrant ainsi qu'il partage la joie de ses maîtres.

2

Une invitée inattendue

Le soleil brille et les feuilles frémissent au gré d'une brise tiède lorsqu'ils arrivent à la maison de tante Pauline. Pendant que la famille s'installe et défait les bagages, Rex inspecte les alentours pour se faire une idée de son nouveau territoire. Un miaulement rauque de chat enragé et des grondements apeurés attirent l'attention de Jessica ; elle sort sur la galerie en toute hâte.

— Rex, viens ici tout de suite.

Le barbet surgit comme une balle ; une bête au pelage noir et blanc est agrippée à son dos. Même si le chien bondit de tous les côtés, la bestiole aux poils hérissés s'accroche, et résiste aux efforts du pauvre canidé.

— Maman, papa, une moufette attaque Rex !

— Ah non! s'exclame Florence. Les vacances commencent vraiment mal pour lui.

— Et pour nous, ajoute Simon.

Les parents se précipitent à l'extérieur et voient leur animal préféré plonger dans le lac afin de se débarrasser de son encombrant fardeau. Toute la famille s'y dirige au pas de course pour récupérer le fidèle toutou; ils se rendent alors compte que Rex nage à côté d'un chaton et non pas d'une moufette. Plus occupés à patauger qu'à se quereller, les adversaires semblent rachitiques, avec leur fourrure mouillée et lisse, collée contre leur peau.

Florence et Simon soupirent de satisfaction. Ils se demandaient déjà comment débarrasser le barbet des odeurs nauséabondes de la bête puante.

Jacob entre dans l'eau jusqu'au mollet pour s'emparer de Rex et le rassurer. De son côté, Jessica soulève la féline détrempée, mais celle-ci griffe la jeune fille au bras. Elle sursaute, recule, heurte une roche, puis tombe à la renverse. Mouillée de la tête aux pieds, elle se relève en vitesse au son des rires de son jumeau. La chatte profite du désordre pour se faufiler sous le balcon. Quant à Rex, il secoue fortement sa toison bouclée et éclabousse Jacob et ses parents.

Tous retournent à la maison en silence, se questionnant sur la suite des vacances.

3

Une visite appréciée

Le lendemain, un canoë d'écorce accoste en face de la maison de tante Pauline. Un jeune garçon à la peau basanée est assis dans l'embarcation. Il s'adresse aux jumeaux :

— Je m'appelle Mat Mequesh et j'habite à l'autre bout du lac. Je veux vous souhaiter la bienvenue dans la région. J'espère que vous passerez un *nipin* intéressant en compagnie du peuple atikamekw.

— C'est quoi un nipin, maman? demande Jessica.

— Notre ami parle de l'été, ma belle.

— J'aimerais me promener dans ton canoë, dit Jacob. Il semble facile à manœuvrer.

— Je reviendrai, promet l'Amérindien.

Le garçon commence à s'éloigner après avoir prononcé ces mots; il voit Rex qui rôde autour de la galerie pour essayer de débusquer l'intruse. Le barbet approche son museau afin de mieux renifler, mais la chatte lui saute encore sur le dos. De nouveau, le chien se dirige tout de suite vers le lac, puis se jette dans l'eau sans hésiter.

Rusée, comme si elle désirait se payer la tête de son ennemi, la petite bête lâche prise avant le plongeon fatal et retombe dans l'herbe avant de retourner dans son repaire. Les oreilles basses, Rex sort de l'eau, trempé jusqu'aux os. Mat s'esclaffe devant les pitreries des deux animaux, puis reprend sa route.

Le soir même, amusée par les misères de Rex, la famille Nikoué cherche un nom pour l'invitée qui a si mauvais caractère. Jessica suggère *Cannelle*. Tous acquiescent.

— Formidable ! s'exclame Florence.

— Si ma sœur accepte de m'accompagner, j'aimerais organiser une excursion de pêche, propose Jacob à ses parents. Je voudrais connaître les alentours, longer le ruisseau et finir par une belle randonnée en après-midi.

— D'accord, répond leur mère, mais vous devez me promettre de rester prudents et de toujours marcher dans les sentiers.

— Et de rentrer avant l'obscurité, ajoute Simon.

Les jumeaux consacrent la soirée à préparer le matériel nécessaire à leur sortie. Tandis que Florence réfléchit au goûter, les jeunes mettent une boussole, des allumettes et des vêtements de pluie dans leur sac.

La tête remplie d'étoiles filantes, Jessica et Jacob se couchent, le sourire aux lèvres. Ils rêvent d'une pêche fabuleuse, s'imaginant des truites d'une trentaine de centimètres qui mordent l'hameçon garni d'un ver de terre grouillant de vie.

4

Une partie de pêche mouvementée

Fébriles, les jumeaux se lèvent vers sept heures pour vérifier les sacs à dos et l'équipement. À leur grande surprise, la chatte dort sur le balcon ; Jessica parvient même à lui flatter le dessus de la tête sans qu'elle réagisse trop vivement. De son côté, Rex fait preuve de prudence et reste loin de Cannelle.

Précédés de leur chien, les randonneurs empruntent le sentier près du lac. À l'abri du vent, au milieu des arbres, ils entendent le roucoulement des oiseaux, le murmure d'un ruisseau et, au loin, les hurlements d'un loup. Ravis de se retrouver en pleine nature, ils observent la végétation et le soleil encore bas, qu'ils aperçoivent à travers les branches. Ce sera sûrement une journée agréable. Cette première excursion de pêche les enchante.

Plus loin, les jumeaux grimpent sur un énorme rocher plat pour contempler le lac. Un paysage de montagnes et de vallées s'étale devant les yeux des visiteurs. Ils s'assoient pour admirer le panorama, puis décident de lancer leurs lignes à l'eau. Ils aperçoivent Mat à une centaine de mètres de la rive et le saluent de la main. Le jeune Amérindien leur rend la politesse.

Rex tourne en rond un moment avant de s'étendre sur la pierre tiède. Après plusieurs minutes, Jacob s'impatiente. Les poissons semblent bouder son hameçon, alors que Mat en a pêché au moins trois !

— Continuons notre route. La chance nous attend peut-être ailleurs.

En se retournant, le garçon constate que la chatte se trouve derrière lui, couchée près de Rex. Cannelle sursaute quand il s'approche pour la caresser ; les griffes sorties, elle se transforme en boule de poils hérissés, prête à attaquer. Jacob recule d'un pas et perd pied ; de justesse, il réussit à agripper la main de sa sœur.

Jessica s'efforce de le retenir de toutes ses forces, mais en vain. Après avoir poussé un cri, qui résonne dans le lointain, les jumeaux tombent dans l'eau. De son canoë, Mat Mequesh a vu la scène. Il saisit sa rame et se dirige en vitesse vers les deux pêcheurs. Jessica essaie de traîner son frère jusqu'au bord, mais elle-même semble en danger.

L'Amérindien arrive à temps; les jeunes s'agrippent à l'embarcation pour gagner la rive. Le sauveteur s'éloigne sans attendre, comme si rien ne s'était passé.

— Je te remercie, Mat, crie Jacob. Sans ton intervention, nous nous serions peut-être retrouvés au fond du lac !

Le garçon lui adresse un signe de la main, alors que son visage affiche un grand sourire de satisfaction.

— Je te promets de m'inscrire de nouveau à des cours de natation cet automne, déclare Jacob.

Les rescapés enlèvent leurs chandails pour les étendre au soleil, sur des branches d'arbre. Ils repartent une heure plus tard, vêtus de leurs vêtements encore mouillés. Si Rex talonne ses maîtres de près, Cannelle, au contraire, disparaît dans les bois.

— En avant ! lance Jacob.

Après une longue promenade qui leur a permis d'admirer la nature, les jeunes gens s'arrêtent près d'un ruisseau. Jessica appâte de nouveau son hameçon :

— Pêchons à cet endroit !

Jacob, quant à lui, marche au milieu du courant et lance sa ligne près d'une pierre ; la canne se courbe sur-le-champ.

— J'ai attrapé un poisson !

Il tourne le moulinet et sort enfin une truite arc-en-ciel d'une trentaine de centimètres.

— Je te rejoins, déclare la jeune fille.

Après avoir placé leur précieuse prise dans un seau et mangé un sandwich, les pêcheurs amateurs progressent lentement, les deux pieds dans le cours d'eau, s'encourageant l'un l'autre. Le chien les suit de près à travers les branchages. Au bout de quelques mètres, un second ruisseau se jette dans le premier.

— Essayons à l'embouchure, suggère Jessica.

Les jeunes continuent à pêcher, tout en remontant le courant ; ils explorent la rivière sans se préoccuper du temps qui passe ; plus tard, ils suivent un deuxième cours d'eau, moins profond. Peu à peu, le soleil commence à décliner, et la faim, à les tenailler.

5

Une promenade en canoë d'écorce

Resté sur la rive opposée de la rivière, Rex aboie, comme s'il voulait prévenir ses maîtres d'un possible danger. Le chien se lance dans l'eau pour les rejoindre.

— Bravo, mon brave barbet ! s'écrie Jessica.

Pendant ce temps, Jacob s'affaire à éviscérer les dix truites qu'il a attrapées, à les laver et à les envelopper dans du papier aluminium avant de les faire griller. En attendant le repas, Jessica ramasse du bois pour le feu ; elle aperçoit alors un magnifique élan d'Amérique au milieu des branches. L'animal s'éclipse aussitôt.

Après que les jumeaux eurent dégusté les poissons fraîchement pêchés, Rex s'éloigne de ses maîtres ; ses aboiements attirent leur attention. Les jeunes se lèvent d'un bond, suivent la rive quelques minutes, puis arrivent devant une immense étendue d'eau.

— Enfin, notre lac ! s'exclame Jessica.

— Regarde ! Mat se dirige vers nous.

— Je vous ai promis une promenade. Le temps est venu de tenir parole.

— Formidable ! s'écrie le jumeau. Je retourne au campement pour éteindre le feu et prendre notre équipement.

— Dépêche-toi, clame Jessica. Les moustiques me dévorent.

Jacob dépose les bagages dans le fond du canoë, puis pousse l'embarcation sur l'eau, avant de s'y installer. Rex, joyeux, en profite pour lui lécher le nez et les lèvres. Les jumeaux ne remarquent aucune habitation sur le rivage. Jacob s'inquiète en raison de l'heure tardive, mais, surtout, parce qu'il ne reconnaît pas les lieux :

— La maison de tante Pauline se trouve sur une butte, et je ne vois rien qui lui ressemble, ici.

— C'est simple, répond Mat. Nous naviguons sur le lac voisin. Après vous avoir aidés ce matin, je vous ai suivis sans attirer votre attention.

— Quoi ? s'exclame Jessica. Tu nous surveillais ?

Le jeune Mequesh sourit, puis s'adresse à Jacob :

— À ton tour de ramer. J'aime mieux te prévenir, tu t'arracheras la peau des mains, lance le garçon pour plaisanter.

Jessica scrute la berge dans l'espoir d'entrevoir des habitations.

— Nous devons rejoindre notre lac bientôt, affirme Jacob d'une voix inquiète. Sinon, nous passerons la nuit au grand air.

Mat lui donne raison et lui indique la route à suivre. Le rameur longe la rive sans repérer autre chose que des arbres à perte de vue.

6

Un territoire sauvage

Les Nikoué se questionnent sur la suite des événements. Leurs parents s'inquiètent sans doute de leur important retard.

— La rivière entre les deux lacs se trouve encore à quelques kilomètres, leur annonce l'Amérindien. Vous avez marché toute la journée. Le pire qui pourrait arriver, ce serait de coucher à la belle étoile.

Le regard tourmenté, les jumeaux se tournent vers leur compagnon de voyage. Les pattes avant sur le bord de l'embarcation, Rex semble examiner les lieux avec attention ; il se met alors à gronder et à aboyer comme un déchaîné.

Quand Jessica se retourne pour le calmer, elle aperçoit un magnifique renard, juché sur un rocher. La bête sauvage disparaît aussitôt dans les bois. Une nuée d'hirondelles de rivage vole au-dessus de leur tête et, plus loin, un castor plonge à l'embouchure d'une rivière. Au même instant, devant les yeux de Jacob, un poisson bondit pour attraper un insecte. Mat sourit et dit :

— Voilà mon univers.

— C'est merveilleux, répond Jessica.

— Toute cette nature vous appartiendrait aussi si vos parents étaient restés à Manawan.

Tout à coup, au grand désarroi des passagers, le barbet saute à l'eau et nage jusqu'à la rive. La jeune fille l'appelle en vain.

— Reviens ici, Rex ! Les animaux vont t'attaquer, crie-t-elle, apeurée.

— Accostons, déclare Mat. Nous devons le retrouver au plus vite. Sinon, il pourrait se perdre ou se blesser. Ou rencontrer une moufette ou un porc-épic !

Le chien entre dans la forêt, puis réapparaît sur la berge. Il aboie sans arrêt, comme s'il signifiait à ses maîtres de le rejoindre. Jacob émet une hypothèse :

— Suivons-le ! Peut-être a-t-il repéré un refuge ?

— Si nous nous attardons, les prévient l'Amérindien, nous devrons passer la nuit dans les parages.

Les jeunes gens attachent l'embarcation à un arbre, s'emparent de leurs sacs à dos, puis partent à la poursuite de Rex.

— J'entends des aboiements, droit devant.

— Allons-y !

Ils débouchent sur un sentier mal entretenu, puis escaladent une pente d'une centaine de mètres avant de se retrouver devant une rivière tumultueuse. Sur la rive se dresse une maison délabrée, ornée d'une lucarne sur le toit. À côté, une chute impressionnante déverse des milliers de litres d'eau à la seconde.

Rex attend ses maîtres devant l'abri ; il sautille et exécute une pirouette. Au contraire du jeune Mequesh, les jumeaux semblent exténués après avoir grimpé rapidement ce raidillon. Le soleil descend lentement derrière la cime des arbres.

— Frappe à la vitre pour voir si quelqu'un habite ici, suggère son ami.

Jessica regarde par les fenêtres, puis se promène autour de la maisonnette sans trouver âme qui vive. Elle revient en courant, poursuivie par une nuée de moustiques.

— Impossible de survivre des heures dehors avec ces maringouins !

— Vous vous comportez vraiment comme les gens de la ville, commente Mat avec le sourire aux lèvres. Cela se voit et s'entend. Les citadins réagissent exactement de cette façon.

Jacob saisit une pierre sur le terrain afin de fracasser un carreau. Mat décide plutôt de tourner la poignée ; la porte s'ouvre aussitôt, produisant un grincement de charnières rouillées.

— Ici, personne ne ferme à clé.

— Ouch ! fait Jessica en se tapant le front du revers de la main pour se débarrasser d'une mouche noire.

Le jeune Mequesh éclate de rire et referme derrière eux.

— Il était temps ! s'exclame la jeune fille. Les bosses me poussent dans le visage à vue d'œil !

Rapidement, elle trouve une lampe à l'huile et l'allume. De son côté, Rex inspecte les lieux pour découvrir le meilleur endroit où se reposer. Soudainement, la pluie se met à tomber comme des cordes; le tonnerre et les éclairs donnent des airs lugubres au sombre paysage. Quand Jacob jette un œil à l'extérieur, la nuit s'est installée et l'ondée continue.

7

Inquiétude

À la maison de tante Pauline, Simon et Florence s'inquiètent du retard des jumeaux. Le papa est revenu bredouille du sentier forestier, alors que la maman arpente le bord de l'eau dans l'espoir de voir apparaître les jeunes à tout moment. Ils se résignent à appeler la Sûreté du Québec.

— Restons calmes ! lance Simon. En raison de l'orage, des gens les ont sans doute accueillis chez eux.

— Les policiers prennent l'affaire en main, répond doucement Florence pour tenter de se rassurer. Tout ira bien.

— Oui, pourquoi imaginer le pire ? Pour ma part, je préfère croire que quelqu'un veille sur eux.

8

Une nuit hantée par un ours

Les jumeaux sont exténués, et Mat a dû les rassurer. L'Atikamekw a chauffé le poêle à bois et les trois enfants ronflent près de la source de chaleur. Comme s'il sentait un danger, Rex a plutôt choisi les planches du grenier. Vers quatre heures du matin, un grondement épouvantable ranime les dormeurs.

La maisonnette vibre et le chien aboie avec fureur. Les jeunes se réveillent en catastrophe, mais tout redevient paisible. Le visage marqué par le sommeil, Jessica se dit inquiète.

— Était-ce un tremblement de terre?

— Sans doute un ours qui a essayé de pénétrer à l'intérieur, répond Mat.

Le garçon allume la lampe avant de commencer la tournée des lieux. Rex aboie et court partout dans la maison ; même Jessica parvient difficilement à le calmer.

Malgré sa peur, Jacob entrouvre la porte avec une extrême prudence et sort sur le balcon pour inspecter les alentours ; il remarque les étoiles au milieu d'un ciel encore noir, avant qu'un grondement le ne fige sur place ; à dix mètres devant lui, près de la rivière, il devine la silhouette d'un gros animal à la faveur du clair de lune.

Jacob retourne en vitesse à l'intérieur, puis pousse un meuble devant la porte. Son visage tourmenté surprend Jessica.

— J'ai vu une bête sauvage, presque un monstre.

Sa sœur regarde par le carreau et repère un énorme ours brun sur le terrain ; elle lance un cri d'effroi. Mat s'empresse d'éteindre la lampe et d'émettre une hypothèse :

— Il sent notre présence.

Pris au piège dans la masure, les trois jeunes s'interrogent sur la suite des événements. Combien de temps cet animal s'attardera-t-il dans les environs ? Pénétrera-t-il à l'intérieur de la maison pour les dévorer ? Comment le forcer à quitter les lieux ?

Toutes leurs questions demeurent sans réponses. Rex place ses pattes sur le cadre de la fenêtre pour examiner l'ennemi. Il gronde, mais s'abstient d'aboyer.

La bête rôde autour du refuge jusqu'à l'aube et Mat la surveille sans arrêt. Quand Jessica se risque à jeter un coup d'œil dehors, son visage devient livide en une fraction de seconde. Elle retient un hurlement de frayeur et murmure :

— Un autre ours arrive.

— Nous courons un grand danger, les prévient Jacob. Surtout s'ils veulent entrer.

— Grimpons au grenier pour l'empêcher de nous atteindre, ordonne Mat.

La porte vole aussitôt en éclats. Tous montent au pas de course avant de retirer l'échelle. De la lucarne, ils voient le jour apparaître lentement. Au rez-de-chaussée, les bêtes ravagent les lieux et déversent leur colère sur les meubles. La cabane tremble de toutes parts. Jacob s'acharne sur le cadre de la petite fenêtre et parvient à l'arracher, mais Mat le prend de vitesse et s'y glisse le premier.

9

La bravoure de l'Amérindien

Le jeune Amérindien se promène sur le toit pour analyser la situation. Soudain, il lance un long cri strident qui résonne dans la forêt. Attirés par le bruit, les ours sortent de la maison. Ils fixent les intrus en grognant, puis se mettent debout pour observer les alentours.

Rex gronde sans arrêt. Sans prévenir ses amis, Mat saute dans un pin, rejoint le sol et réussit à se faufiler entre les arbres. Rapide et très agile, l'Atikamekw va et vient dans tous les sens pour harceler les bêtes et les entraîner le plus loin possible.

Énervé par l'attitude de Mat, les mammifères se décident à se lancer à sa poursuite dans la forêt. Juchés sur le toit, les jumeaux entendent des hurlements et des bruits de branches cassées. Puis, c'est le silence.

Le frère et la sœur redescendent au rez-de-chaussée, saisissent leurs sacs à dos et déguerpissent en direction du lac, suivis de Rex. Les jeunes embarquent dans le canoë et s'éloignent de la rive. Jessica tend l'oreille :

— Je n'entends plus rien.

— Mat a sans doute semé les ours.

Malgré tout, Jacob est inquiet; il scrute les abords du bois avec l'espoir de localiser le courageux garçon. Mat reste introuvable. À cet instant, un bruit de moteur résonne dans le ciel. Les fuyards lèvent les yeux et voient un hélicoptère au-dessus d'eux. Ils agitent les bras pour attirer l'attention des secouristes. Jacob enlève son chandail et le secoue dans tous les sens.

Le pilote envoie immédiatement un message et demande un hydravion pour prêter assistance aux rescapés. L'appareil amerrit dix minutes plus tard, mais Mat reste introuvable. Deux sauveteurs aident Jessica et Jacob à grimper dans l'engin volant, puis leur fournissent des couvertures.

Quand les jumeaux lui apprennent qu'un autre garçon les accompagnait, le pilote fait lentement glisser l'hydravion sur les flots.

Tous scrutent les rives du lac, anxieux. Soudain, Jessica lance un cri de joie :

— Arrêtez ! Mat arrive à la nage.

— Il nous a sauvé la vie, ajoute Jacob. À notre tour de le secourir !

L'aviateur sourit de satisfaction avant d'immobiliser l'appareil. Lorsque le jeune Amérindien est enfin sauvé, l'engin s'envole pour retourner à la base de la Sécurité civile, où les gens s'impatientent.

Les parents des enfants courent vers eux et les étreignent avec amour, alors que retentissent leurs éclats de joie. Quand ils apprennent que le garçon amérindien a agi avec bravoure, Florence et Simon le prennent dans leurs bras et le remercient chaleureusement.

— J'invite ta famille pour le repas de ce soir, clame Florence. Je veux tout savoir au sujet de votre aventure.

Comme s'il avait compris qu'il y aurait à manger, Rex descend de l'hydravion pour rejoindre ses maîtres.

10

Retour aux sources

Pendant les vacances d'été, Mat, Jacob et Jessica deviennent inséparables. Le jeune Amérindien les conduit au campement traditionnel atikamekw à Matakan, où ils restent vingt jours. Les invités goûtent au ragoût d'orignal et de champignons sauvages. Ils chantent et dansent au rythme des tambours, préparent la banik[3] et ramassent une tonne de bleuets sauvages.

À la fin de ce séjour, les Nikoué savent prononcer quelques mots de la langue de leurs ancêtres. Quand Mat ou un membre de la communauté arrive, il souhaite le bonjour aux jumeaux en disant *kwei kwei* ; les jeunes piègent le *wapoc*, ou le « lièvre », et admirent de loin le *maskwa*, « l'ours noir ». Lorsque leur ami atikamekw les quitte, le frère et la sœur lancent un *matcaci*[4] bien senti, dans l'espoir de revoir leur nouvel ami le lendemain.

---

3 Pain sans levain d'origine amérindienne.

4 Au revoir

Au camp, Mat initie aussi Jacob et Jessica à la pêche aux dorés et aux brochets; il leur enseigne à identifier les plantes, à chasser le petit gibier et à prélever l'écorce des bouleaux pour en fabriquer des objets.

— On nous surnomme le « peuple de l'écorce », leur apprend fièrement Mat.

Le dernier soir, devant un feu de joie, le garçon offre à chacun un capteur de rêves qu'il a confectionné lui-même. Il a même réussi à dénicher deux plumes d'aigle royal pour orner les présents. Mat explique l'importance, pour sa nation, de ce rapace au bec jaune et à la tête blanche :

— Cet oiseau est l'emblème des Atikamekw. Il nous donne la force de vivre selon les traditions de nos ancêtres. Vous êtes maintenant des Atikamekw à part entière.

— Nous réintégrons notre peuple avec la joie au cœur, affirme Jacob.

— Mon frère et moi vous remercions de nous accepter après des années passées à l'extérieur du village, dit Jessica. Nous porterons ce nom avec fierté.

11

Un *matcaci* à des amis

Après un été à découvrir leurs racines, Jessica et Jacob retournent à la maison, la tête remplie de souvenirs. Jessica embrasse Mat sur la joue pour le remercier. Avant de quitter les lieux, les jumeaux entraînent le garçon sur le grand rocher plat situé sur la rive du lac. Ils s'assoient en cercle et se tendent la main.

— Que faites-vous ? demande l'Atikamekw.

— Nous désirons souligner ta bravoure et, surtout, te prouver notre amitié, répond Jessica.

— Tu nous as sauvé la vie, poursuit Jacob. Tu nous as transmis l'amour de notre peuple et, en quelques semaines, grâce à toi, nous avons appris plusieurs mots de la langue de nos ancêtres. Pour toutes ces raisons, nous te consacrons grand champion de Manawan.

— En signe d'amitié, Jacob et moi t'offrons notre chat Cannelle.

— J'accepte ce titre et l'animal avec plaisir. Nous avons passé un merveilleux *nipin.*

— Nous penserons souvent à toi.

— Pendant l'hiver, je confectionnerai deux canoës. L'an prochain, nous sillonnerons les lacs et les rivières ensemble.

— Quoi ! s'exclame Jacob d'un ton incrédule. Tu veux nous en offrir un ?

— Je veux m'assurer que vous reviendrez nous visiter.

Les larmes aux yeux, les jeunes Atikamekw se donnent l'accolade et jurent de rester amis pour toute la vie. La famille Nikoué monte ensuite dans la voiture qui s'éloigne lentement sur la route de Manouane, comme si les passagers hésitaient à quitter l'endroit qui les a vus naître.

— *Matcaci* ! crie Jabob.

— *Matcaci* ! répète Jessica.

Même si le véhicule a disparu derrière les bouleaux, Mat entend avec plaisir les « *au revoir* » de ses camarades et les aboiements de Rex.

Table des matières

Viateur Lefrançois

Viateur Lefrançois se consacre au roman pour la jeunesse, et historique, depuis 1993. Auteur de dix-neuf ouvrages, il est à la fois écrivain, conférencier et animateur dans les salons du livre au Québec, dans les écoles et les bibliothèques. Il a été invité dans différentes provinces canadiennes, mais aussi en Belgique, en Suisse, en France, aux États-Unis et au Mexique.

L'auteur, un passionné d'aventures, de voyages et d'histoire, fait découvrir des lieux inconnus et parle d'amitié, d'aventures et d'environnement. Ses romans offrent un mélange de science-fiction et de réalisme, sans oublier plusieurs références aux peuples autochtones d'Amérique (dont les Mayas du Mexique).

Jocelyne Bouchard

Originaire du Saguenay, Jocelyne Bouchard exerce ses talents d'illustratrice à Montréal depuis plus de vingt ans. Artiste aux multiples facettes, elle dessine et joue avec les couleurs comme une seconde nature. De ses racines, elle a gardé le goût pour la nature et les animaux. Elle en tire l'inspiration pour transmettre la beauté des paysages urbains qu'elle peint. Formée en Communication graphique à l'Université Laval et en Arts plastiques au CÉGEP de Jonquière, elle a travaillé comme illustratrice depuis 1986 auprès de nombreuses maisons d'édition et agences de publicité, au Québec en Ontario et aux États-Unis.